"Je ne suis plus une enfant!" protesta Jane

"En êtes-vous sûre?" lança Nick avec un sourire qui l'irrita profondément.

"Parfaitement sûre! Par ailleurs, ma vie privée m'appartient. Que je sois votre employée ne vous donne pas le droit de contrôler mes faits et gestes."

"J'aurais dû deviner que vous refuseriez de m'écouter," dit Nick sur un ton mécontent. "Mais attention, certaines erreurs se paient très cher!"

"Je vous remercie de m'avertir," déclara Jane. "Toutefois, je pense que personne ne peut rien apprendre de l'expérience des autres."

"Vous tenez sans doute à faire vos expériences vous-même! Très bien, pourquoi ne pas commencer tout de suite?"

Il attira Jane contre lui et l'embrassa doucement. Elle ne tenta pas d'échapper à ses bras...

DANS HARLEQUIN ROMANTIQUE

Charlotte Lamb

est l'auteur de

DANS COLLECTION HARLEQUIN

Charlotte Lamb

est l'auteur de

Un nuage sur l'hermitage

Charlotte Lamb

Harlequin Romantique

PARIS • MONTREAL • NEW YORK • TORONTO

Dépôt légal 4e trimestre 1984
Bibliothèque nationale du Québec et Bibliothèque nationale
du Canada.

Imprimé au Québec, Canada—Printed in Canada

1

La température restait fraîche en dépit du soleil printanier, du bleu doux du ciel et de la lumière qui dansait sur les vitres de la gare. Les jonquilles dont l'or tranchait sur l'herbe verte, semblaient feindre d'ignorer le petit vent piquant, plus digne de décembre que du mois d'avril.

Jane Fox frissonna dans son vieux manteau en laine. Elle en remonta frileusement le col et rougit quand son regard rencontra celui de l'unique voyageur qui attendait avec elle sur le quai.

Ils s'étaient déjà étudiés à plusieurs reprises. Jane avait attribué à son compagnon un type dominateur. Il était grand, très élégant, avec une abondante chevelure noire et des yeux d'un vert particulier, comparable à celui de la mer qu'elle avait quittée la veille en partant de chez elle. Son visage exprimait à la fois l'orgueil, une pointe d'ironie et de la curiosité. Il possédait une belle bouche qui esquissait une moue imperceptible, mais irritante, chaque fois qu'il observait Jane. Il l'examinait aussi sans en avoir l'air et, arborant une mine de défi, elle finit par se détourner ostensiblement de lui.

Son manteau demandait à être remplacé, toute sa tenue laissait à désirer, elle le savait très bien, mais durant les deux années qui venaient de s'écouler, elle s'était privée sans hésiter afin de permettre à sa tante de finir ses jours dans les meilleures conditions possibles. Elle n'avait travaillé qu'à temps partiel afin de lui tenir compagnie. Par chance, la maison appartenant à Agnès ne lui avait coûté que des charges minimes compatibles avec son petit budget.

A la mort de sa tante, elle avait mis la maison en vente. A cette occasion, à travers les paroles du notaire, elle avait brusquement pris conscience de la situation. « Vous allez avoir les moyens de renouveler votre garde-robe », lui avait-il dit sans méchanceté.

Abordant ensuite la question du travail, il s'était vu refuser toutes ses suggestions, Jane déclarant d'une voix aimable, mais ferme :

— J'ai déjà posé ma candidature pour un emploi.

En dehors de son mi-temps dans un salon de toilettage pour chiens, elle ne possédait aucune expérience, s'étant entièrement consacrée aux soins requis par une invalide.

— J'ai répondu à une annonce du *Times*, avait-elle expliqué au notaire. Le poste me conviendrait très bien. Il s'agit de s'occuper d'une dame veuve à la campagne. On ne demande ni de faire les tâches ménagères, ni même la cuisine. Mais il faut aimer les bêtes.

L'homme avait froncé les sourcils.

— Cette vie ressemble trop à celle que vous avez menée. Vous êtes trop jeune pour vous isoler encore une fois avec une personne âgée. Partez donc pour Londres. Devenez infirmière, ou secrétaire, et amusez-vous !

— Londres ne m'attire pas du tout, avait affirmé Jane en souriant.

— J'espère que vous changerez d'avis.

Bien qu'ayant poliment écouté les arguments de son interlocuteur, Jane était restée sur ses positions. Et à présent, elle gagnait son nouveau foyer. Oh oui, elle considérait cette demeure comme son foyer depuis qu'elle avait rencontré son employeur à Londres qui l'avait choisie parmi plusieurs candidates.

Mme Butler lui avait plu au premier coup d'œil. Elancée dans son ensemble bleu marine, ses cheveux blancs soigneusement relevés en couronne autour de la tête, elle ne manquait ni de personnalité, ni de volonté, ni de vivacité. Jane avait immédiatement acquis la conviction qu'elle ne s'ennuierait pas une seconde auprès de cette femme. De par son tempérament, elle créait sans doute de temps à autre des difficultés à son entourage, suscitant parfois même peut-être son mécontentement, sa révolte, voire de réels bouleversements, mais la monotonie ne cohabitait certainement pas avec elle.

Ayant quitté le Devon la veille, Jane avait passé la nuit à Londres. Elle entamait à présent la dernière étape de son voyage et, après avoir subi les bruits et l'agitation de la capitale, elle éprouvait un profond soulagement en cet endroit où la nature reprenait ses droits.

Le petit train était en retard de dix minutes. Lorsque Jane interrogea le chef de gare, il se montra évasif. Habituée au rythme particulier des campagnes, la jeune fille résolut de patienter. L'autre voyageur se mit au contraire en colère. Le chef de gare disparut alors à l'intérieur du minuscule bâtiment pour en ressortir peu après, l'air flegmatique.

— Il n'y aura pas de train avant une heure, annonça-t-il d'une voix traînante. Un incident s'est produit sur la ligne.

Jane ne s'était pas trompée en voyant en son compagnon un homme dominateur et arrogant. Il explosa pour de bon. Le chef de gare, quant à lui, se contenta de hausser les épaules.

— Si vous ne voulez pas attendre, retournez donc en ville avec l'autobus et louez une voiture.

A ces mots, l'homme dominateur et arrogant se tourna vers Jane.

— Désirez-vous venir avec moi ? Vous risquez de perdre beaucoup de temps ici.

Embarrassée, elle considéra son énorme valise, puis l'inconnu.

— Vous n'avez rien à craindre avec ce monsieur, mademoiselle, glissa le chef de gare. Je l'ai déjà vu à plusieurs reprises sur cette ligne.

Le voyageur lui décocha un coup d'œil furibond avant de s'emparer d'autorité de la valise de Jane. Une exclamation de surprise lui échappa aussitôt.

— Je... je suis désolée, balbutia Jane, elle est remplie de livres.

— Vous faites bien de le préciser. J'étais persuadé qu'il s'agissait de cailloux, rétorqua-t-il, sarcastique.

— Je vais la porter, décida la jeune fille.

Comme elle s'avançait, l'homme protesta :

— Je dois être capable de la porter moi-même, que je sache ! Je ne suis pas invalide. Suivez-moi !

Ne souhaitant pas l'offenser davantage, Jane se garda d'insister. Le chef de gare les observait en souriant. Il baissa toutefois les yeux quand l'inconnu le fusilla du regard.

Un autobus ne tarda pas à les conduire en ville, à peu de distance de l'agence de location de voitures, et il s'écoula moins d'une demi-heure entre leur départ de la gare et le moment où ils s'engagèrent sur d'étroites routes de campagne.

— Vous vous rendez à Abbot's Marsh, n'est-ce pas ? lança l'homme à Jane.

— Oui, répondit-elle.

— Vous n'êtes vraiment pas bavarde ! s'irrita-t-il. Je n'ai encore jamais rencontré une femme comme vous. Elles sont toutes intarissables, alors qu'il faut au contraire vous arracher les mots les uns après les autres.

Jane cessa de contempler le feuillage tout neuf des arbres pour considérer son compagnon avec étonnement.

8

— Mon père avait horreur des paroles inutiles, lui confia-t-elle.

— Je vois, déclara-t-il.

Que pouvait-il bien voir puisqu'il ignorait tout d'elle ? Elle, en revanche, n'ignorait plus tout de lui depuis qu'il avait rempli un long formulaire pour louer la voiture. Lisant par-dessus son épaule, elle avait découvert son nom, Nicholas Adams, son âge, trente-quatre ans, et sa profession, architecte. Elle n'avait pas réussi à en apprendre davantage. L'ayant soudain surprise en flagrant délit d'indiscrétion, il lui avait décoché un coup d'œil si sévère qu'elle s'était vite éloignée en rougissant.

L'observant, elle sentit d'instinct que cet homme sûr de lui était un bon architecte.

— Vous êtes-vous sauvée d'un couvent ? lança-t-il à brûle-pourpoint.

— Pardon ? répliqua-t-elle sans comprendre.

Il détacha l'une de ses mains du volant afin d'esquisser un signe vague dans sa direction.

— Oui, tout le donne à penser, votre tenue comme votre comportement.

— On ne se sauve plus des couvents à notre époque, déclara-t-elle tranquillement.

L'homme sourit sans cesser de fixer la route devant lui.

— De toute évidence, vous ne m'en direz pas plus. Entendu. Puis-je au moins savoir où vous vous rendez ?

— Pourquoi me posez-vous cette question ? Je vais à Abbot's Marsh, l'auriez-vous oublié ?

— C'est là que j'habite et je connais tout le monde. Allez-vous en visite chez quelqu'un ?

— D'une certaine façon, affirma-t-elle, restant évasive à dessein.

Son interlocuteur allait encore protester quand il vit briller une lueur malicieuse dans ses yeux. Elle le taquinait. Cette fois, il la gratifia d'un sourire plus chaleureux qui éclaira son visage.

— Vous vous amusez à mes dépens, il me semble ! lança-t-il avec un petit rire. Si vous avez le sens de l'humour, tant mieux ! Permettez-moi de me présenter. Je m'appelle Nicholas Adams comme vous l'avez probablement lu à l'agence. Je suis architecte à Malden. Pensez à moi le jour où vous déciderez de vous faire construire une maison dans l'Essex.

— C'est promis, fit-elle sur un ton léger.

Son interlocuteur poussa soudain un soupir.

— Ne m'avouerez-vous donc votre nom que sous la torture ?

— Je m'appelle Jane Fox, déclara-t-elle en souriant.

Nicholas Adams s'arrêta à un carrefour pour l'étudier à loisir. Sa chevelure était douce et soyeuse, d'un joli brun évoquant les feuilles du hêtre en automne ; ses traits mobiles et sa bouche tendre trahissaient de la sensibilité et de l'esprit.

— Jane Fox, répéta-t-il. C'est le nom qui vous convient. Il est clair, simple et net, comme vous.

— Merci pour ce compliment, rétorqua-t-elle, et il lui sourit à nouveau avant de se remettre en route.

Arrivé à la hauteur d'une petite gare déserte, il se rangea à côté d'une voiture de sport blanche. Son conducteur, une jeune fille blonde à l'allure sophistiquée, le fixa en ouvrant de grands yeux, puis descendit tout à coup de son siège.

— Nick, que faites-vous dans cette guimbarde ?

Abaissant sa vitre, il lança :

— Etiez-vous venue me chercher, ma chérie ?

— Oui, je pensais que vous rentriez en train. J'attends ici depuis des heures. Je commençais à désespérer.

— La circulation est interrompue à cause d'un incident sur la voie, aussi ai-je loué cette voiture.

Les yeux très maquillés se portèrent au-delà de Nicholas, sur sa passagère. Devançant une question inévitable, celui-ci déclara :

— Cette jeune personne était la seule voyageuse avec moi. Je lui ai proposé de l'emmener.

Il s'était exprimé avec une telle désinvolture que l'inconnue se détendit. Du bout de ses lèvres teintées de rose pâle, elle adressa un sourire à Jane, mais son regard resta de glace.

— C'est une chance pour elle que vous ayez loué cette voiture, affirma-t-elle sur un ton imperceptiblement ironique.

Jane dissimula de son mieux son irritation tandis qu'elle enchaînait :

— J'aimerais parler à mon fiancé si vous le permettez.

Une longue main blanche se posa sur le bras de Nicholas et elle ajouta :

— Nick, venez dans ma voiture un instant. J'ai quelque chose d'important à vous dire.

Il murmura une excuse à l'intention de Jane qui crut discerner chez lui un soupçon d'impatience, et il s'exécuta docilement. Jane se détourna avec ostentation, en regrettant de ne pouvoir s'évanouir dans les airs.

Soudain, la jeune fille haussa tant la voix qu'elle l'entendit malgré elle :

— Elle m'a chassée de la propriété ! Pourtant c'est à vous qu'elle appartient et non pas à elle, je ne me suis pas privée de le lui rappeler. Mais elle s'est entêtée, menaçant de lâcher les chiens sur moi si je ne partais pas !

Nicholas Adams éclata de rire.

— Ces pauvres bêtes ne sauraient même pas faire un trou dans un coussin !

— C'est tout ce que vous trouvez à répondre, Nick ! Votre tante doit à votre seule générosité de demeurer chez vous. Elle n'a pas le droit de me traiter ainsi !

— Ma tante est une originale. Elle ignorait qui vous étiez, j'en suis sûr, affirma-t-il pour apaiser sa compagne.

— Détrompez-vous, elle m'a reconnue. Elle a même osé me reprocher de ne pas vouloir attendre qu'elle soit morte pour apporter des transformations dans la maison.

Nicholas se redressa et fixa sévèrement la jeune fille.

— Sylvia, que lui avez-vous dit ? Nous nous étions pourtant mis d'accord pour ne pas la brusquer. Elle ne quittera l'Ermitage que de son propre gré.

A ces mots, Jane sursauta, et elle pivota sur elle-même afin de regarder Nicholas et sa fiancée. L'Ermitage ! Mme Butler vivait à l'Ermitage ! La tante de cet homme était-elle son employeur ?

Sylvia faisait grise mine.

— Ayant vu de merveilleux rideaux de velours blanc à Londres la semaine dernière, je voulais simplement prendre les mesures des fenêtres du salon.

— Vous avez osé ! s'exclama-t-il.

Elle leva sur lui de grands yeux verts exprimant l'innocence.

— Chéri, je ne lui ai pas demandé de partir ! Je désirais uniquement les mesures. Ma mère estime que nous devrions commencer à nous occuper sérieusement de la maison.

— Ma mère estime ! répéta Nicholas sur un ton exaspéré.

S'emparant de son bras et lui offrant ses lèvres avec une coquetterie consommée, Sylvia s'écria :

— Ne vous fâchez pas, mon chéri ! Je ne croyais pas mal agir. Combien de temps devrons-nous encore patienter avant de nous installer chez nous ? Ai-je tellement tort de rêver du jour où nous vivrons enfin ensemble ? Votre tante a d'autant moins de raisons de s'obstiner que son déménagement ne lui coûtera rien.

— Je lui ai acheté une maison, annonça Nicholas avec un sourire.

— Vraiment ! lança Sylvia, ravie. Où ?

— Je lui ai acheté Rose Cottage.

Le visage de la jeune fille se rembrunit aussitôt.

— Oh chéri, est-ce une bonne idée de la loger si près de l'Ermitage ?

— C'est la meilleure façon de la gagner à notre cause. Il lui semblera plus facile de quitter l'Ermitage pour une demeure située aux portes de la propriété que pour partir à l'autre bout de l'Angleterre.

— Jamais elle n'acceptera de nous laisser l'Ermitage, déclara sombrement Sylvia. Je m'en suis rendu compte aujourd'hui. Elle est d'un égoïsme sans bornes.

— Vous ne la connaissez pas assez bien pour la juger, affirma Nicholas avec un soupir. Elle est merveilleuse, vous finirez par le découvrir un jour.

Après une brève hésitation, il ajouta :

— Vous n'êtes pas revenue sur vos positions, je suppose ? Vous n'accepteriez pas qu'elle vive avec nous ?

— Même si j'étais d'accord, elle refuserait. Elle me déteste ! rétorqua Sylvia sur un ton aigre.

Il se pencha pour l'embrasser.

— Vous dites des sottises ! Qui pourrait vous détester, ma chérie ?

Comme elle s'apprêtait à nouer ses bras autour de son cou, il déclara :

— Je dois vous quitter, Sylvia. Je vais conduire ma passagère à destination et je passerai chez vous avant de rentrer.

— Qui est-ce, s'enquit-elle en regardant Jane par-dessus l'épaule de son compagnon.

Celle-ci se détourna en rougissant tandis que Nicholas répondait :

— Je l'ignore. Elle n'est pas bavarde.

— Avez-vous vu son manteau ? Je me demande d'où elle vient.

— Ne soyez pas méchante, Sylvia. A mon avis, la malheureuse ne roule pas sur l'or.

— Que fait-elle par ici ? Je croyais connaître tous les

gens de la région, mais je suis sûre de ne l'avoir jamais rencontrée.

— Je ne suis pas mieux renseigné que vous. Elle rend sans doute visite à quelqu'un, à moins qu'elle n'ait été engagée pour un travail. Le colonel Lewis n'attend-il pas une nouvelle employée ?

— Elle est beaucoup trop jeune pour servir chez lui. Je ne lui donne pas plus de dix-huit ans.

Nicholas haussa les épaules, signifiant la fin de cette discussion de peu d'importance.

— Je vous reverrai plus tard, Sylvia. Je dois me remettre en route.

La jeune fille agita la main jusqu'au moment où la voiture disparut. Aux côtés de Nicholas, Jane bouillonnait de rage et d'humiliation. Soudain, annoncé par un vrombissement sonore, le coupé rejoignit le véhicule de location et le dépassa tel une traînée blanche lancée sur la route à une vitesse hallucinante. Sylvia klaxonna et, l'espace d'une seconde, Nicholas et sa passagère aperçurent son visage illuminé par un sourire triomphant.

— C'est de la folie ! marmonna l'architecte.

— Un jour elle se tuera, affirma Jane. Comment peut-elle conduire ainsi sur ces routes étroites et sinueuses ?

— Vous avez raison, juge Fox ! ironisa-t-il gentiment. Où dois-je vous déposer ? Nous arrivons à Abbot's Marsh.

— Je vais à l'Ermitage, annonça alors la jeune fille d'une voix légèrement tremblante.

— Comment ?

La voiture fit une embardée et Nicholas la redressa en étouffant un juron.

— Avez-vous bien dit l'Ermitage ?

— Oui.

— Est-ce vraiment là que vous vous rendez ?

Jane décocha à son compagnon un coup d'œil exaspéré.

14

— Combien de fois allez-vous encore me poser la même question ? Oui, je me rends à l'Ermitage.

— Chez moi ! s'exclama l'architecte, arborant une mine incrédule.

— C'est ce que j'ai conclu de votre conversation avec votre fiancée, en effet.

C'en était trop. Nicholas s'arrêta au milieu de la route.

— Nous avez-vous écoutés ?

— Si vous ne désiriez pas que je vous entende, il fallait parler moins fort. Je n'ai pas eu besoin de tendre l'oreille pour suivre la discussion. Votre fiancée a une voix des plus aiguës, et de surcroît, elle avait légèrement baissé la vitre.

L'architecte la fusilla du regard.

— Ne prenez pas ce ton à propos de Sylvia.

— Je me contentais d'énoncer un fait.

— La plupart des femmes se montrent agressives à son égard, je l'ai déjà remarqué. Elle est si belle qu'elle leur inspire de la jalousie et du dépit.

— Je ne suis pas jalouse, ni dépitée ! protesta Jane en s'efforçant de dissimuler sa contrariété.

Nicholas la considérait avec un mélange de colère et d'incrédulité.

— Pour quelle raison venez-vous à l'Ermitage ?

— Pour y occuper un emploi.

— Un emploi !

— Cessez de répéter ce que je dis ! s'impatienta-t-elle.

— Quel emploi ? s'enquit-il alors.

Le plus dignement possible, elle annonça :

— Mme Butler m'a engagée comme demoiselle de compagnie.

— Tante Elaine !

Les mains de Nicholas se crispèrent sur le volant.

— J'aurais dû me douter qu'elle tramait quelque

chose quand elle est allée à Londres. Et je vois clair. La guerre est déclarée.

Comme Jane ouvrait de grands yeux, il lui expliqua :

— Vous êtes son arme.

— Comment ?

— Elle est vraiment très habile.

Commençant à se sentir mal à l'aise, Jane déclara :

— Je suis désolée, mais je ne vous suis pas du tout.

— J'ai prié ma tante de quitter l'Ermitage parce que je vais me marier, mais elle refuse obstinément. Et, pour consolider sa position, elle vous a engagée. Elle compte trouver une alliée en vous. En outre, il est plus difficile de faire partir deux personnes qu'une.

Jane étouffa un soupir.

— La situation me paraît terriblement inconfortable. Allez-vous me renvoyer ?

Nicholas arbora une mine surprise.

— Que croyez-vous, voyons ? Ne vous rendez-vous pas compte par vous-même que vous n'avez rien à faire à l'Ermitage ? Cette propriété m'appartient. Par pure générosité, j'ai autorisé ma tante à y résider. Elle n'est d'ailleurs pas vraiment ma tante, mais elle m'a élevé. A présent, je souhaite qu'elle libère les lieux, et j'ajouterai qu'elle a les moyens de se loger. Son mari lui a laissé une rente qui pourvoiera à ses besoins jusqu'à la fin de ses jours. Elle va sur soixante-dix ans.

— Soixante-dix ans ! s'étonna Jane.

Elle enchaîna ensuite sur un ton de reproche :

— Et vous osez la chasser, à son âge ! Elle pourrait en mourir !

— Jamais je n'aurais songé à lui demander de s'installer ailleurs si elle s'était comportée différemment envers Sylvia. Hélas, elle s'oppose à notre mariage depuis le début. Il y aura bientôt six mois que nous sommes fiancés et je n'ai pas réussi à la fléchir. Au départ, je projetais de la garder avec nous, bien sûr. Mais toutes ses rencontres avec Sylvia se terminent par

16

une querelle. Elles s'entendent comme chien et chat. J'ai tout tenté pour les réconcilier. Si elles habitaient sous le même toit, la vie serait infernale.

— Etes-vous certain que Sylvia désire s'entendre avec votre tante ? glissa Jane.

Nicholas la considéra d'un air courroucé.

— Je voudrais bien savoir pourquoi je discute de mes affaires avec vous ! Au point où nous en sommes, je vous offre l'hospitalité à l'Ermitage pour la nuit, mais vous repartirez dès demain matin.

Jane ne répondit pas et ils roulèrent en silence. Des murs de pierre grise ne tardèrent pas à remplacer les haies qui bordaient la route, puis la voiture atteignit finalement un haut portail en bois. Des chats s'y étaient perchés et ils dressèrent la tête pour examiner les arrivants.

Notant l'étonnement de Jane, Nicholas se détendit et déclara en riant :

— Ils appartiennent à tante Elaine. Ignoriez-vous qu'elle a transformé la propriété en refuge pour les animaux ?

Au-delà du portail, une allée s'ouvrait entre deux rangées de bouleaux. Le soleil printanier ruisselait sur leur feuillage vert tendre. Sur la gauche, une belle prairie descendait en pente douce jusqu'à une rivière aux eaux argentées. Sur ses rives croissaient de jeunes saules qui frémissaient au moindre souffle de vent. Des crocus et des primevères s'épanouissaient à leur pied.

A la vue de la demeure, Jane laissa échapper une exclamation de surprise. Nicholas épiait ses réactions de près et il déclara :

— Elle aura bientôt cinq cents ans.

Jane était séduite, et ses traits expressifs traduisaient toutes les émotions qui se succédaient en elle.

— La tour est plus récente. Je la dois à un homme fortuné qui rêvait de vivre dans un château de conte de fées. Je l'ai modernisée et j'y habite. Tante Elaine dispose du reste de la maison. Ma chambre se trouve tout à fait en haut, là où vous voyez la fenêtre gothique.

Jane décocha un coup d'œil en coin à son compagnon.

— Rêveriez-vous, vous aussi, de vivre dans un château de conte de fées ?

Le petit rire de Nicholas sonna comme un aveu. L'espace d'une seconde, elle crut entr'apercevoir l'enfant qu'il avait été.

— Tout petit, je désirais déjà vivre dans la tour, expliqua-t-il, mais elle était à moitié en ruine et l'on ne pouvait s'y aventurer sans danger. Je me suis chargé de la restaurer dès que j'en ai été capable.

Le regard de Jane enregistrait des détails ici et là. Des oiseaux nichaient sous la toiture de tuiles roses. Une plante grimpante courait le long des murs. Devant la maison se dressait un pigeonnier peint en blanc.

— Oh, des chevaux ! s'exclama-t-elle.

Sur le vaste terrain herbu qui entourait la demeure, elle découvrit aussi un âne et plusieurs chèvres.

— Oui, confirma Nicholas, des chevaux que plus personne ne monte. Ma tante les accueille lorsqu'ils sont vieux et affaiblis.

— Les pauvres ! s'écria Jane.

— Que Dieu me protège ! Avez-vous, vous aussi, la passion des animaux ? lança-t-il sur un ton nettement désapprobateur.

Elle releva le menton et fixa sur lui des yeux étincelants de défi.

— Est-ce un crime ?

Sa colère tombant d'un coup, il éclata de rire.

— Qu'y a-t-il de si drôle ? s'enquit Jane, humiliée.

— Vous me feriez presque peur ! plaisanta-t-il.

Redémarrant, il contourna la maison et arriva dans une cour délimitée sur un côté par des boxes. Un tas de paille soigneusement empilée dégageait une odeur un peu âcre. Nul animal n'était en vue dans cet endroit. Nicholas arrêta la voiture et en descendit en annonçant :

— Nous allons certainement trouver ma tante dans le jardin.

Tout en se dirigeant vers une haie de troènes, il appela la vieille dame. Une voix ne tarda pas à lui répondre et il entraîna Jane à travers une brèche entre deux arbustes. De l'autre côté prospérait un charmant petit potager.

Mme Butler était en train de bêcher vigoureusement la terre. Vêtue d'un pantalon de gros velours marron et d'un pull-over jaune vif, elle ne paraissait pas du tout ses soixante-dix ans. Son regard était resté d'une étonnante jeunesse et elle accueillit Jane avec un sourire radieux.

— Vous êtes déjà là, ma chère ! J'en suis ravie. Vous aurez le temps de donner à manger aux canards avant le dîner.

— Tante Elaine, intervint Nicholas d'une voix ferme, comment avez-vous pu engager cette personne ?

— Bonjour, mon cher Nick. Connaissez-vous Jane ? Jane, je vous présente mon neveu, le plus merveilleux des hommes. Il m'héberge à l'Ermitage depuis des années comme si j'étais sa mère. A vrai dire, sa mère était ma meilleure amie. Non, je me trompe : sa grand-mère. Etait-ce votre grand-mère, Nick ?

— Ma mère, affirma-t-il en soupirant.

— Je l'adorais. Sa mort m'a brisé le cœur. En plus de son chagrin, le père de Nick s'affolait à l'époque à la perspective d'élever seul un enfant. Etant veuve moi aussi, je lui suis venue en aide, n'est-ce pas, Nick ?

Elle déposa un baiser sur la joue de son interlocuteur qui contenait difficilement son impatience. Ne pouvant s'empêcher de sourire, Jane s'attira un coup d'œil meurtrier.

— Jane a sûrement envie de se rafraîchir. Montrez-lui donc la salle de bains, Nick. Vous manquez à tous vos devoirs d'hôte.

— Nous discuterons plus tard, tante Elaine. Ne croyez pas avoir gagné la partie, déclara-t-il, l'air sombre.

— Je ne crois rien, répondit distraitement la vieille dame. Avez-vous vu ces choux ? Ils sont magnifiques ! Tout me réussit cette année.

Prenant Jane par le bras, Nicholas la ramena d'autorité vers la demeure. Il était furieux.

— Je me demande à quoi ma tante compte vous employer. Elle fait la cuisine elle-même et une personne du village vient chaque jour pour le ménage.

— Pourquoi vous posez-vous la question puisque vous avez décidé de me renvoyer demain matin ? glissa Jane sur un ton innocent.

Nicholas pinça les lèvres.

— Vous avez pu constater par vous-même qu'il est impossible de discuter avec elle. Elle change de sujet et le tour est joué. Elle applique la même tactique dès que je lui parle de Sylvia. Pas une fois elle ne m'a vraiment dit ce qu'elle pensait d'elle.

— Sylvia s'avance donc beaucoup en prétendant que Mme Butler la déteste.

Cette réflexion provoqua un nouveau soupir.

— Les silences de ma tante valent de longs discours, affirma-t-il.

Entrant dans la maison par la cuisine, Jane perçut des miaulements qui provenaient d'un panier dans un coin. Elle ne tarda pas à s'agenouiller devant une portée de chatons nouveaux-nés tandis que son compagnon protestait :

— Je ne peux pas partir deux jours sans qu'elle accueille de nouveaux protégés !

Un instant plus tard, il oubliait son mécontentement pour se pencher et caresser à son tour les animaux d'une main très douce. Une lueur de tendresse brillait dans ses yeux verts.

— Ils ne pourront pas rester, murmura-t-il pourtant après un silence. Je veux qu'ils quittent l'Ermitage, et vous aussi.

2

Lorsque Jane descendit dans la cuisine le lendemain matin, elle n'y trouva personne. Les chatons dormaient dans leur panier, une grande coupe de fruits occupait le centre de la table où quelqu'un avait aussi déposé une cafetière, deux tasses, et un coquetier jaune vif sur une assiette verte.

— Il me semblait bien vous avoir entendue venir, déclara Nick en entrant dans la pièce derrière elle. Tante Elaine est en train de s'occuper de ses animaux. Servez-vous, je vous en prie.

Affreusement gênée, Jane lança :

— Suis-je en retard ? Il n'est que huit heures.

— Nous avons l'habitude de nous lever très tôt.

S'asseyant, il entreprit de feuilleter le journal en buvant un café qui ne devait plus être très chaud.

Quelques instants plus tard, il quittait son siège, enfilait un veston brun, rajustait sa cravate et, s'emparant d'une serviette gonflée de dossiers, annonçait :

— Je dois partir. Je suis attendu à Malden.

— Au revoir, bonne journée, murmura Jane, se demandant si elle aurait quitté l'Ermitage avant le retour de l'architecte.

A la manière dont il la regarda et dont il considéra les

chatons du seuil de la cuisine, elle le soupçonna de se poser la même question.

Rompant tout à coup le silence, il déclara :

— Je suis vraiment désolé. Vous avez de bonnes raisons de nous en vouloir, à ma tante comme à moi-même. Nous vous avons infligé une grande déception. Que projetez-vous de faire ?

Elle haussa les épaules et continua à éplucher son orange en dépit du léger tremblement de ses doigts.

— Il ne me reste plus qu'à chercher un autre emploi, répliqua-t-elle sur un ton neutre en gardant les yeux baissés.

— Comment avez-vous pu accepter ce travail ? Votre famille ne s'y est-elle pas opposée ?

— Je n'ai plus de famille, répondit-elle calmement.

L'un des chatons se hissa à cet instant-là jusqu'au bord du panier, et tomba sur le carrelage avec un gémissement plaintif. Nick se baissa aussitôt pour le remettre parmi ses compagnons puis, posant sa serviette, il retourna s'asseoir en face de Jane. Les coudes sur la table, le menton appuyé sur les paumes de ses mains, il arborait une mine mi-résignée, mi-exaspérée.

— Racontez-moi tout. Autant que je connaisse la vérité.

— Quelle vérité ?

Lui volant un quartier d'orange, il répliqua :

— Je ne peux pas partir avant d'être fixé. Que croyez-vous ? Allons, ne me cachez rien !

— Je n'ai rien à dire. Certes, je suis orpheline, mais vous aussi. Je ne dépends pas pour autant de la charité d'autrui.

— Où avez-vous vécu jusqu'ici ? Dans un orphelinat ?

— Non, chez une tante qui est morte récemment, expliqua-t-elle avec un détachement volontaire.

Comme Nick lui prenait le dernier quartier de l'orange, elle l'interrogea :

— Etait-elle bonne ? Dois-je vous en préparer une autre ?

Il sourit de son ironie et s'excusa.

Tandis qu'il se resservait du café, elle entama son œuf. Elle ne se sentait pas à l'aise car il l'observait par-dessus sa tasse d'un air énigmatique. Le soleil égayait la pièce, effleurant d'une caresse dorée les géraniums devant la fenêtre, miroitant sur les ustensiles en métal, et traçant de larges allées de lumière sur le sol. Jane promena son regard autour d'elle. Elle n'éprouvait qu'un désir : rester dans cette maison où la bonté et l'amour avait créé une atmosphère merveilleuse.

Jamais elle n'avait aussi bien dormi que la nuit précédente dans la chambre très simplement meublée où Mme Butler l'avait conduite. Le vieux lit possédait des montants de cuivre et le plus moelleux des matelas. Le couvre-lit aux couleurs un peu passées, cousu de longues années auparavant par une femme très patiente, ne lui avait pas déplu, au contraire, ni les rideaux fatigués par de nombreux lavages. Ils contribuaient à rendre les lieux intimes et accueillants. Jane s'y était immédiatement sentie chez elle.

— Que vais-je faire de vous ? soupira Nick.

— Ne vous inquiétez pas, répondit-elle sans trahir sa tristesse et ses regrets. Je ne serai plus là lorsque vous rentrerez. Je vous comprends très bien. Si j'avais eu la moindre idée de la situation, je ne serais pas venue.

— Ma tante a vraiment agi d'une façon inconsidérée cette fois ! s'exclama-t-il d'une voix mécontente. Il faut absolument que je m'en aille, mais attendez mon retour. Nous trouverons bien une solution. Je pourrai peut-être même vous procurer une autre place où vous serez logée.

Il considérait soudain Jane avec un peu d'attendrissement et il conclut :

— Car vous avez avant tout besoin d'un foyer, n'est-ce pas ?

— Je vous remercie, mais je suis parfaitement capable de me débrouiller seule, rétorqua-t-elle sur un ton vif. Vous avez l'air de me prendre pour un chien errant à la recherche d'une niche ! Je ne demande rien à personne. A l'avenir, je me montrerai plus méfiante. Je n'accepterai pas un emploi avant d'être amplement renseignée.

Blessé de voir sa gentillesse si mal accueillie, Nick se raidit.

— A l'avenir, faites-vous engager par un homme, lança-t-il.

Elle éclata d'un petit rire sarcastique.

— Pourquoi ? Peut-on leur accorder plus de confiance qu'aux femmes ? J'en doute !

— Que savez-vous des hommes ? rétorqua-t-il avec un sourire moqueur. Je n'étais pas si loin de la vérité lorsque je vous croyais sortie d'un couvent. N'avez-vous pas mené une vie très protégée auprès de votre tante ? Le monde n'a pas encore eu la moindre prise sur vous. Sous certains éclairages, je vous donne douze ans.

Vexée par ces propos, Jane protesta :

— Je suis pourtant assez grande pour ne pas apprécier ce genre de réflexion, monsieur Adams !

Elle se détourna ensuite pour lui cacher sa rougeur et le tremblement qui s'était emparé de ses lèvres.

Le silence s'installa entre eux, puis Nick lui demanda :

— Resterez-vous jusqu'à ce soir ?

— Non, répondit-elle sur un ton sans réplique.

— Soyez raisonnable, vous ne savez pas où aller !

— Je prendrai une chambre dans un hôtel. Ma tante m'a laissé une maison, et l'agent immobilier chargé de la vendre m'avancera l'argent dont j'ai besoin.

Nick se leva et, l'obligeant à en faire autant, la saisit par les épaules.

Tandis qu'il fixait sur elle son regard gris-vert, elle dut à nouveau lutter contre les effets de son charme, ce charme par trop irrésistible qui avait tout de suite éveillé son instinct de défense, la veille, pendant leur attente sur le quai de la gare. Connaissant un peu mieux Nick à présent, elle percevait en outre la gaieté et la bonté foncière qui semblaient illuminer ses traits de l'intérieur. Cette bonté, il s'efforçait de la cacher afin de ne pas tomber dans des problèmes insolubles. Le comprenant, Jane décida d'assumer ses difficultés elle-même. Nick avait ses propres affaires à régler, elle ne devait pas lui compliquer l'existence.

Souriant à la vue du charmant visage rendu grave par la détermination, il déclara doucement :

— Ne prenons pas de décisions hâtives. Restez encore aujourd'hui, au moins, et nous aviserons.

Son sourire éblouit Jane. Quel sourire ! Ses résolutions fondirent comme neige au soleil. Nick se rendit compte qu'elle faiblissait.

— Mais oui, ajouta-t-il, nous discuterons ce soir. Je me sauve. Veillez sur tante Elaine et sur les chatons pour moi !

Lorsqu'elle se retrouva seule dans la cuisine, Jane la trouva soudain moins claire. Elle frissonna et se baissa pour caresser les petites boules laineuses qui somnolaient dans leur panier.

Une fois la vaisselle faite et la pièce rangée, elle partit à la recherche de Mme Butler. Elle la découvrit dans la prairie, au milieu des chevaux. Elle leur parlait à voix basse et ils paraissaient l'écouter. A la façon dont ils hochaient parfois la tête, on aurait même cru qu'ils lui répondaient. Ils étaient vieux, comme Nick l'avait expliqué à Jane, mais ils avaient l'air heureux, et mangeaient avec plaisir l'avoine qu'elle leur offrait.

— Vous voilà ! lança-t-elle en gratifiant Jane d'un aimable sourire. Venez saluer Hercule et Pat. Et regardez Polly, ma douce ânesse.

— Vous ne me parlez pas de vos chèvres ! glissa Jane, amusée et attendrie.

26

— Ce sont des monstres ! Elles dévorent tout ce qui passe à leur portée, chapeaux, boutons, chaussures. Ne vous en approchez pas trop, sauf pour traire Rosy.

— Pour traire...

En proie à un vif étonnement, Jane ne réussit pas à achever sa phrase.

— Elle donne beaucoup de lait en ce moment, et il est excellent, déclara Mme Butler.

— Je ne sais pas traire les chèvres, objecta-t-elle.

— Vous apprendrez, affirma la vieille dame avec une calme assurance.

En entraînant Jane vers la maison, elle continua à l'entretenir de choses et d'autres. Elle se comportait comme si sa compagne ne devait pas repartir. Au bout d'un moment, Jane se décida à aborder ce sujet délicat :

— Mme Butler, je vais être obligée de m'en aller.

— Pourquoi ?

— Votre neveu le souhaite et il est ici chez lui.

— Mais c'est moi qui vous paie.

— Certes. Cependant...

Mme Butler la prit par le bras et la fixa tout à coup d'un air très sérieux.

— Ma chère, nous devons absolument sauver ce garçon d'une catastrophe.

A ces mots, Jane ouvrit de grands yeux. Appliqué à un homme comme Nick, grand, fort, riche, sûr de lui et bien établi dans la vie, le terme « garçon » paraissait comique.

— Je l'ai pratiquement élevé, vous savez, ajouta Mme Butler. Il a deviné que je vous avais engagée pour l'empêcher de se marier, j'en suis certaine.

Jane écarquilla les yeux de plus belle.

— Comment pourrais-je l'empêcher de se marier ?

— Ne m'interrompez pas sans cesse ! s'exclama la vieille dame en esquissant un geste d'impatience. Je suis déterminée à tenter tout ce qui est en mon pouvoir pour qu'il n'épouse pas cette... cette créature. Et il ne l'ignore pas.

— Je suis totalement étrangère à cette affaire ! protesta Jane.

— Mais oui. Je ne vous demande que de rester à l'Ermitage. Vous êtes une corde de plus à mon arc.

Le regard bleu de Mme Butler étincelait tandis qu'elle concluait :

— Bien que je sois âgée, Sylvia ne me fait pas peur. Je lui réserve encore des surprises.

Etudiant les traits résolus de son interlocutrice, Jane ne put douter de ses affirmations.

— Vous sentez-vous le droit d'intervenir dans la vie privée de votre neveu ? s'enquit-elle néanmoins. Il n'est plus l'enfant dont vous vous êtes occupé. Il a trente ans passés et il sait ce qu'il veut.

— Il n'aime pas vraiment cette femme, déclara Mme Butler. Elle ne manque pas de charme, je l'admets.

— Elle est très belle, coupa Jane avec force.

La vieille dame lui répondit par une moue.

— Il s'agit d'une beauté de façade, d'une apparence illusoire. Intérieurement, Sylvia est laide, défigurée par son égoïsme et sa cupidité.

— Vous êtes sévère ! s'écria Jane.

— Je n'invente pourtant rien. Si Nick l'épouse, il sera malheureux toute sa vie. Il est bon, lui, et généreux, il déborde de chaleur humaine. Lorsqu'il découvrira la nature réelle de sa femme, il maudira le jour où il l'a rencontrée.

— N'est-il pas fiancé depuis six mois ? Il doit connaître Sylvia.

— N'en croyez rien. Elle est assez rusée pour cacher son jeu. En présence de Nick, elle exécute un véritable numéro d'actrice. Je l'ai observée.

— Jamais Nick ne vous pardonnera de contrecarrer ses plans.

— La situation est délicate, j'en conviens, soupira

Mme Butler. C'est pourquoi j'agis très prudemment. Je me garde de prononcer la moindre parole qui puisse se retourner contre moi, ou de me comporter d'une façon répréhensible.

Tandis que son regard se promenait sur la campagne environnante, aux couleurs tendres derrière un léger voile de brume, elle poursuivit :

— J'aime cette maison, j'aime chaque parcelle de cette propriété et pourtant, je m'en irais de bon cœur dès demain si Nick épousait la femme qui lui convient et qui saurait apprécier l'Ermitage.

— Sylvia m'a paru enthousiasmée par cette demeure, glissa Jane.

Mme Butler ricana avec dédain.

— Elle rêve de se l'approprier ! La valeur du domaine et le prestige dont il jouit dans la région flattent sa vanité. Mais elle n'a qu'une idée : moderniser, transformer, détruire la douce harmonie qui est le fruit de tant d'années. Elle ne songe qu'à changer les rideaux, remplacer les vieux meubles par du mobilier contemporain, et peindre les murs de couleurs voyantes.

Une fois encore, Jane tenta de ramener son interlocutrice à la raison :

— N'est-il pas normal qu'elle désire réaménager son futur foyer de façon à s'y sentir chez elle ?

— Ce ne sera plus un foyer, mais une galerie d'exposition ! ironisa Mme Butler.

Haussant les épaules en signe de découragement, Jane affirma :

— Que vous le vouliez ou non, son mariage lui donnera le droit d'arranger la maison à sa guise.

Pendant qu'elle parlait, elle vit les yeux de Mme Butler s'emplir de larmes. Comme elle tenait à l'Ermitage !

— Vous considérez cette propriété comme une partie de vous-même, n'est-ce pas ? s'enquit Jane d'une voix pleine de compassion.

— Oui, et il me semble que vous me comprenez, ma chère enfant.

Jane hésita à acquiescer. Rien ne l'autorisait à prendre parti pour sa compagne. Elle devait rester en dehors de la lutte qu'elle menait.

— Vous me comprenez, affirma la vieille dame sans se soucier de son silence. L'Ermitage n'est pas seulement une maison. Il s'agit d'un merveilleux héritage qui se transmet de génération en génération dans l'amour et le respect. Sylvia ne le mérite pas.

— Et Nick ? s'enquit Jane. Vous ne parlez que de la maison et pas de lui. Pourtant la vie d'un être humain compte davantage que la plus belle des demeures.

— Nick aime l'Ermitage autant que moi.

— Mais peut-être aime-t-il encore plus Sylvia ? insista Jane.

— J'en doute !

Sur ces mots, Jane et son interlocutrice pénétrèrent à l'intérieur du logis. Jane était songeuse. Mme Butler possédait une personnalité forte et sympathique, elle aurait été ravie de travailler pour elle, mais il lui fallait partir. Elle se préparait à en manifester à nouveau l'intention quand Mme Butler lui demanda sur un ton presque suppliant :

— Pourriez-vous faire au moins une chose pour moi ? Il serait urgent de mettre de l'ordre dans mon bureau. J'ai négligé de classer mes papiers depuis des mois et je ne retrouve plus rien maintenant.

— Je dois vous quitter, répondit-elle. Je n'ai pas encore d'hôtel pour ce soir.

— Restez donc à titre d'invitée durant quelques jours.

Devinant que Jane s'apprêtait à refuser, elle s'empressa d'ajouter :

— Une nuit seulement, rien qu'une nuit ?

— Je...

La vieille dame profita de son hésitation.

— Merci, je suis enchantée de bénéficier encore un peu de votre compagnie. Si vous voulez bien me suivre jusqu'à mon bureau, je vais vous montrer ce que j'attends de vous.

Au bout d'un long couloir se trouvait une petite pièce comportant un bureau en bois sculpté, un meuble de classement et des étagères. Soudain, Jane ne put retenir un éclat de rire. Elle venait d'apercevoir un énorme chien endormi dans un coin, la tête appuyée sur une paire de bottes.

— Punch, que fais-tu ici? s'enquit Mme Butler en ébouriffant affectueusement le pelage fauve du chien formant comme une crinière de lion sur sa nuque.

Se redressant, il étudia Jane à son tour de ses yeux brun doré.

— Il est adorable! s'exclama-t-elle. Vous appartient-il aussi?

— Non, c'est le protégé de Nick. Il l'a sauvé de la noyade dans les marais. A l'époque, il s'agissait d'un chiot, il l'a ramené dans sa poche. Et regardez-le maintenant!

Devinant que les deux femmes parlaient de lui, Punch s'étira et bâilla avec une satisfaction évidente.

— Savez-vous pourquoi il s'est installé dans mon bureau? lança Mme Butler. Nick est distrait. Après s'être promené avec lui ce matin, il a oublié ses bottes ici en rentrant. Et notre brave Punch garde les bottes comme il veillerait sur son maître!

Lorsqu'elle les ramassa et sortit de la pièce, le chien la suivit en effet. Elle revint ensuite et, ouvrant le meuble de classement, elle désigna à Jane des piles de papiers d'un air dégoûté.

— Pourriez-vous me les trier, s'il vous plaît? N'hésitez pas à jeter ceux qui n'ont aucun intérêt et rangez les autres.

Jane acquiesça en affirmant:
— Je vais faire de mon mieux

Elle travailla toute la journée, examinant lettres et documents, dont certains étaient anciens et jaunis. A midi, elle rejoignit Mme Butler pour prendre un déjeuner très simple, puis elle se remit sans tarder à la tâche.

La nuit tombait lorsqu'elle se laissa enfin aller en arrière sur son siège avec un soupir de satisfaction à l'idée de s'être acquittée de sa tâche. Des papillons entrés par la fenêtre ouverte voletaient autour de la lampe. Au-dehors, les oiseaux semblaient siffler un chant d'adieu. Prise par sa mission, Jane ne s'était pas rendu compte qu'il faisait plus frais. Elle frissonna tout à coup.

— Eh bien, vous n'avez pas perdu votre temps ! lança subitement une voix d'homme.

Elle sursauta et, levant la tête, découvrit Nick sur le seuil du bureau. Il avait échangé son costume de ville contre un gros pull vert et un jean délavé, tenue qui lui allait à merveille. Ses joues colorées par l'air vif, ses yeux brillants et ses cheveux ébouriffés par le vent accentuaient son allure décontractée.

— Aimeriez-vous vous promener un peu ?

Il ne s'agissait pas d'une question, mais d'un ordre déguisé. Sans attendre la réponse de Jane, il s'avança et, s'emparant très naturellement de son bras, l'entraîna hors de la pièce. Une délicieuse odeur de cuisine flottait dans la maison.

— Ma tante va nous gâter avec l'un de ses délicieux plats parfumés aux herbes et aux épices, indiqua-t-il. Et pendant qu'il mijote, elle prépare un box pour un nouvel hôte.

— Un autre cheval ? demanda Jane.

Nick secoua la tête en riant.

— Vous verrez !

Il siffla, et des chiens arrivèrent de tous les côtés tandis qu'il déclarait :

— Venez faire quelques pas avant le dîner. Il n'est

pas bon de rester enfermé pendant des heures sans bouger. La marche vous donnera de l'appétit.

— J'ai déjà faim, assura-t-elle avec un sourire.

Observant les chiens qui se mirent à gambader joyeusement autour d'eux, elle nota :

— Celui-ci ressemble beaucoup à Punch.

— En effet, il est son fils. Il s'appelle Patch.

— Et le troisième ? s'enquit Jane en désignant d'un geste une bête aux pattes hautes, très fines, qui aboyait d'une voix aiguë.

— Poppy nous a été confiée par des gens qui partaient à l'étranger. Ils étaient désolés de l'abandonner, mais elle est heureuse ici.

Nick parlait de ses chiens avec affection. Sa tante ne mentait pas en affirmant qu'il les adorait, même s'il feignait parfois une certaine sévérité ou de l'impatience à leur égard. Cette constatation rendit Jane songeuse. Dans ces conditions, pouvait-il accepter de bon cœur de satisfaire les exigences de Sylvia ? Ne s'attristait-il pas à la perspective de se séparer de tous les animaux qui avaient trouvé refuge à l'Ermitage ?

Tout en réfléchissant, Jane promenait son regard autour d'elle. La propriété lui sembla immense. Dans la demi-obscurité, elle n'en distinguait pas les limites.

— Votre domaine s'étend à perte de vue ! lança-t-elle.

— Il est très grand, accorda Nick. La ferme que vous apercevez là-bas en fait partie aussi. La même famille l'exploite depuis plusieurs générations, qu'en dites-vous ? Le fermier actuel souhaiterait étendre les cultures, mais il n'en sera pas question tant que ma tante habitera à l'Ermitage. Elle ne disposerait plus que d'un petit jardin et les champs occuperaient tout le reste du terrain.

— Ce serait dommage ! s'exclama spontanément Jane.

Nick étouffa un soupir.

— Elle doit se féliciter de vous avoir engagée. Vous êtes exactement la personne qu'elle cherchait. Comment a-t-elle fait pour vous trouver ?

Piquée au vif, Jane annonça sur son ton le plus digne :

— Soyez sans crainte, je partirai demain.

Contre toute attente, Nick s'arrêta de marcher et la regarda droit dans les yeux.

— Ecoutez-moi bien : j'ai besoin de vous, moi aussi.

Notant la stupéfaction de sa compagne, il s'empressa d'expliquer :

— C'est l'enfer. Ma tante et ma fiancée se livrent une guerre sans merci et je suis écartelé entre les deux. Je ne peux pas continuer à vivre ainsi. Une action s'impose d'urgence et je compte sur votre intervention.

En dépit du sourire charmeur dont il ponctua ces derniers mots, Jane détourna la tête en affirmant :

— Je n'ai nullement l'intention d'intervenir.

Nick la prit par le bras.

— Ne refusez pas avant de connaître mon plan.

En proie à une perplexité croissante, Jane s'irrita de se sentir trop vulnérable. Pourquoi ne répondait-elle pas par l'indifférence aux problèmes de Nick et de sa tante ? Ils devaient régler leurs affaires entre eux sans importuner une malheureuse étrangère. Ne faisaient-ils d'ailleurs pas un drame à propos d'une situation qui n'en valait pas la peine ? Leur différend relevait de l'enfantillage. L'Ermitage était bien assez grand pour leur permettre d'y cohabiter en bonne entente.

Comme Jane exprimait ces idées, Nick hocha la tête d'un air approbateur.

— Bien sûr, vous avez raison, mille fois raison ! Votre aide ne m'en sera que plus précieuse. Seule une personne de l'extérieur peut nous sortir de cette impasse, et vous réussirez, j'en ai la conviction.

— Non, protesta-t-elle.

— Si... Ma tante vous aime déjà beaucoup, je m'en suis aperçu. Depuis votre arrivée, elle ne cesse de

34

chanter vos louanges. Elle vous écoutera. Vous exerce-
rez une excellente influence sur elle.

— Jamais je n'userai de mon influence pour l'amener
à quitter son foyer, déclara Jane avec raideur.

Nick s'empara alors de sa main et la tint entre les
siennes en la considérant avec une mine si suppliante
qu'elle réprima l'envie d'éclater de rire.

— Je viens de lui acheter un cottage de l'autre côté de
la route. Elle disposera d'assez de place pour y héberger
quelques animaux et je garderai les autres ici jusqu'à ce
qu'ils meurent de leur bonne mort. Ensuite, je n'en
prendrai plus, évidemment. Mais ce compromis me
semble très acceptable, qu'en pensez-vous ?

— Votre tante rêve d'installer un véritable refuge
pour les bêtes de l'Ermitage, vous ne l'ignorez pas.

— Il n'en est pas question, je n'ai pas les moyens de
subventionner un tel projet, expliqua Nick avec impatience.

— Elle compte y consacrer son propre argent et le
léguer à cette œuvre.

— Chez moi ! Elle n'a pas le droit d'engager l'avenir
de ma propriété. Sa bonté lui fait perdre le sens des
réalités. Je suis vraiment désolé de devoir la contrarier,
mais j'épouserai Sylvia, qu'elle le veuille ou non.

— Et qu'attendez-vous de moi ? s'enquit Jane avec
résignation.

Elle se sentait emportée par un courant trop puissant
pour lutter.

— Restez, déclara Nick. A la première occasion,
vous exposerez ma position à ma tante. Ma décision est
prise, Jane. S'il faut que je choisisse entre elle et ma
future épouse, je choisirai ma future épouse. N'est-ce
pas normal ? En continuant à s'opposer à notre mariage,
elle sera la cause de son propre malheur. Parlez-lui,
transmettez-lui ma proposition. Ses animaux termine-
ront leur existence en paix à l'Ermitage, mais je n'en
veux pas d'autres.

Jane se détourna de son interlocuteur et fit quelques pas. De dos, dans son vieux pull rouge et son jean reprisé en plusieurs endroits, les épaules légèrement voûtées, elle ressemblait plus à une fillette au corps élancé et gracieux qu'à une jeune fille.

Revenant soudain vers Nick, elle lui annonça :

— C'est entendu, je reste.

Dans un élan de gratitude, il lui entoura les épaules de son bras et la serra contre lui à la manière d'un grand-frère. Quand sa joue effleura brièvement la sienne, Jane tressaillit malgré elle et s'écarta vivement de lui. Sa réaction provoqua l'étonnement de Nick, puis son sourire.

— Je suis désolé, je ne voulais pas vous effrayer. Je vous manifestais simplement ma reconnaissance.

Un peu raide, Jane répliqua :

— Je vous prierais de la manifester autrement à l'avenir.

— Vous êtes bien farouche ! nota-t-il avec humour.

— Je n'ai pas du tout apprécié votre comportement.

— En effet, je m'en aperçois, fit-il et cette fois, il ne riait plus ; il était en colère.

Abandonnant Jane sans façon, il repartit en direction de la maison, accompagné par ses chiens. Après un instant d'hésitation, elle le suivit. Elle se reprochait son attitude à présent. Elle s'était montrée ridicule. Certes, elle bénéficiait d'une excuse. Ces deux années passées auprès de sa tante l'avait rendue un peu sauvage. En outre, elle ne s'était jamais trouvée confrontée à un homme comme Nick.

La lune se levait et son reflet se balançait à la surface de la rivière, pâle croissant voilé de brume. Un brouillard blanchâtre planait sur l'herbe humide, dissimulant la base de la maison qui semblait flotter dans l'immensité du ciel, sa silhouette imposante promettant chaleur et sécurité.

Jane s'efforça de distinguer le visage de Nick dans

l'obscurité qui s'intensifiait de seconde en seconde. Le voyant arborer une mine sévère, elle rassembla son courage et murmura :

— Je vous demande pardon. Je me suis conduite d'une façon grotesque.

Immédiatement, le masque austère tomba et il sourit, de petites rides de gaieté se creusant aux coins de ses yeux, une expression aimable se peignant sur ses traits. En l'espace d'une seconde, il était devenu tout autre.

— N'en parlons plus, répondit-il gentiment.

Il entama une chanson connue et Jane ne tarda pas à chanter avec lui. Leurs voix résonnant dans la paix du soir dérangèrent les freux nichés dans les ormes.

Les portes ouvertes de l'Ermitage laissaient passer un large ruban d'or qui illuminait le centre du jardin. En s'approchant, Nick et Jane découvrirent Sylvia sur le seuil. L'architecte s'écarta aussitôt de sa compagne qu'il tenait par les épaules.

D'une voix cassante, Sylvia lança sans préambule :

— Pourrais-je savoir ce que cette personne fait ici ?

3

S'arrêtant devant Sylvia, Nick rétorqua sur le même ton :

— Et vous ? Je croyais que nous étions d'accord pour que vous ne veniez pas à l'Ermitage pour le moment.

— Oh oui, vous m'aviez convaincue de m'en abstenir... et en invoquant d'excellentes raisons ! Mais vous avez oublié de me donner la plus intéressante.

Elle fusilla Jane du regard et répéta :

— Que fait-elle ici, Nick ?

— Il s'agit d'une pure coïncidence, répondit-il en souriant. Jane venait justement occuper un emploi auprès de ma tante.

— Un emploi ! s'exclama Sylvia, hors d'elle.

— Oui. N'est-ce pas amusant que nous nous soyons rencontrés en route ?

— Très amusant, confirma la jeune fille d'un air sarcastique.

Nick la considéra en haussant les sourcils.

— Qu'y a-t-il, Sylvia ? Je ne vous suis pas. C'était vraiment une coïncidence, je vous l'assure. Pourquoi vous mentirais-je ?

Il semblait très contrarié et Jane vit Sylvia livrer un combat contre elle-même. Elle se détourna un instant, dissimulant à son fiancé un visage où se peignaient des sentiments opposés. Stupéfaite, Jane assista à la métamorphose. La colère s'effaça et les jolis traits se détendirent.

— Oh Nick, soupira-t-elle tout à coup en s'emparant de sa main, je suis navrée d'avoir été aussi désagréable ! Toutefois, je ne suis pas vraiment fautive. Votre tante s'est permis de telles insinuations que...

— Quelles insinuations ?

Sylvia esquissa une moue coquette et battit des paupières en déclarant :

— J'avais cru comprendre que cette fille était votre invitée. J'ignorais qu'elle occupait un emploi ici.

Une lueur de méfiance passa dans le regard de Nick, puis il expliqua :

— Vous avez mal interprété les paroles de ma tante. Nous n'étions pas tout à fait d'accord au sujet de Jane...

— Jane ! Vous êtes déjà très intime avec une personne que vous me présentez comme une étrangère ! lança Sylvia dans un nouvel accès d'indignation.

Nicolas se rembrunit, mais soudain il sourit.

— Seriez-vous jalouse, ma chérie ?

Cette idée paraissait l'amuser, et aussi le flatter, jugea Jane.

Sylvia allait riposter. Elle se retint de justesse et préféra murmurer d'une voix caressante :

— Aurais-je des raisons de l'être ? De toute façon, vous ne pouvez pas m'en vouloir. Vous n'imaginez pas ce que votre tante m'a raconté.

— Petite sotte ! s'exclama Nick en la prenant dans ses bras.

Elle leva son visage vers le sien, arborant une expression tendre et soumise. Ses cheveux blonds formaient un halo lumineux autour de sa tête.

Rouge de confusion, Jane s'empressa de les abandonner en pénétrant à l'intérieur de la maison.

Après s'être laissée embrasser, Sylvia fixa sur son fiancé un regard brillant et déclara doucement :

— Il faut qu'elle parte, Nick, sinon votre tante se servira d'elle pour nous compliquer la vie. Vous avez maintenant deux personnes au lieu d'une chez vous.

— Je le sais. Et ma tante s'est montrée très habile. Elle a trouvé l'alliée idéale, une jeune orpheline qui n'a plus rien, ni personne. Seul un monstre aurait le cœur de la chasser.

A ces mots, Sylvia dissimula difficilement son mécontentement.

— Vous êtes trop bon, Nick, et votre tante table sur votre générosité.

— Non, cette fois je ne suis pas généreux, mais astucieux. Jane a accepté de défendre notre cause. J'ai réussi à retourner la situation à mon avantage.

Sylvia parut songeuse.

— Ne criez pas victoire trop vite, votre tante ne manque pas de ressources.

— Nous verrons bien, affirma Nick sur un ton apaisant. Jane m'a fait une excellente impression et je suis persuadé qu'elle réussira à raisonner tante Elaine.

— Que vous êtes rusé, Nick! s'exclama Sylvia avec un petit rire dénué de gaieté. J'espère que votre machination donnera vite des résultats. J'attends avec tellement d'impatience le jour où nous nous marierons. Les gens commencent à se poser des questions. Ils...

S'interrompant, elle le regarda et s'écria :

— Vous ne m'écoutez pas! A quoi songez-vous? Que je sois malheureuse vous est égal!

Il lui accorda à nouveau toute son attention. Une grande tendresse adoucissait le contour net de ses traits.

— Etes-vous malheureuse, ma chérie? Qu'y a-t-il?

— J'ai horreur d'être la risée de tout le monde. De quoi ai-je l'air? Nous sommes fiancés depuis des mois et la date de notre mariage n'est toujours pas fixée. Mes amies m'adressent des réflexions désagréables et je reçois à nouveau des invitations.

40

Comme elle arborait une expression mystérieuse, Nick la questionna :

— Des invitations ?

— Eh bien oui ! Depuis l'annonce de nos fiançailles, mes admirateurs ne se permettaient plus de me téléphoner. Ces derniers jours, j'ai été à nouveau sollicitée. Les gens pensent que nous allons rompre, c'est clair.

Elle épia la réaction de Nick, mais il conserva une expression indéchiffrable.

— Si vous refusez systématiquement ces invitations, vous ne serez bientôt plus importunée. Tout rentrera dans l'ordre.

— Et si je n'avais pas envie de les refuser ?

Nick ne répondit pas tout de suite. Il prit Sylvia par le menton et l'obligea à le regarder droit dans les yeux.

— Vous ne savez plus ce que vous dites. Vous n'êtes pas vous-même ce soir, je vais vous raccompagner chez vous.

— Je peux rentrer seule ! répliqua-t-elle, furieuse et déçue.

Les sourcils froncés, Nick la vit s'éloigner à grands pas dans la nuit.

Pendant ce temps, Jane exposa à Mme Butler l'accord qu'elle avait conclu avec Nick. La vieille dame ne dissimula pas sa méfiance.

— Pourquoi tient-il soudain à payer votre salaire ? Voilà qui est suspect. Je le soupçonne de vouloir vous amener à prendre son parti.

— A quoi rime cette bataille que vous avez engagée l'un contre l'autre ? s'enquit gentiment Jane.

— Jamais je ne me résignerai à laisser une créature comme Sylvia s'installer à l'Ermitage ! rétorqua Mme Butler avec véhémence.

— Pensez plus à Nick et moins à la maison. Qu'importent ces pierres quand le bonheur d'un homme est en jeu !

— Bien dit, très bien dit ! lança l'architecte en faisant irruption dans la cuisine.

Les joues en feu, Jane pivota sur elle-même.

Nick considérait sa tante d'un air légèrement ironique.

— Je vous écoute, tante Elaine ! Que répondez-vous ?

— Le dîner va brûler si vous ne vous dépêchez pas ! fit-elle avec sévérité. Qu'attendez-vous pour vous laver les mains tous les deux ? Nous passons à table !

Nick quitta docilement la pièce en entraînant Jane. Elle éprouva la plus grande difficulté à lui sourire quand il lui adressa un clin d'œil espiègle. De voir ces êtres pourtant raisonnables se quereller à propos d'une propriété lui semblait trop absurde, d'autant plus qu'elle se mettait à la place de chacun d'eux, qu'elle admettait leurs positions respectives. Elle se sentait écartelée entre Mme Butler et son neveu, et l'avenir lui inspirait de vives appréhensions.

Elle ne demanda pas mieux que de suivre les habitudes de la maison en montant se coucher tôt. Après avoir fait la vaisselle avec Mme Butler, elle sombra aisément dans un sommeil sans rêves.

Le lendemain, elle aida la vieille dame à nourrir les chevaux. La manière dont ils reniflèrent ses poches dans l'espoir d'y trouver du sucre ou des pommes lui arracha des éclats de rire. L'un d'eux, une grande bête maigre à la robe brune tachée de blanc boitait légèrement.

— Le pauvre a des rhumatismes, déclara Mme Butler. Chaque fois qu'il se met à boiter, il va pleuvoir.

Incrédule, Jane étudia le ciel bleu sans y découvrir le moindre nuage. Sa compagne sourit.

— Vous verrez, Hercule ne se trompe jamais !

La pluie commença en effet à tomber au cours de l'après-midi, d'abord doucement, puis avec force. Lorsque Jane descendit dans la cuisine à l'heure du thé, elle y découvrit une petite femme en tablier beige qui nettoyait la pièce. Elle se redressa à son arrivée et, voyant la jeune fille hésiter sur le seuil, elle lui sourit.

— Entrez, j'ai fini.

— Le carrelage brille tellement que je n'ose pas. Il est magnifique.

— Ne vous souciez pas du brillant. Un sol est fait pour que l'on marche dessus, répliqua fermement l'inconnue.

Rangeant ses affaires, elle ajouta :

— Voilà, j'ai terminé. Vous êtes la secrétaire, je suppose. Mme Butler m'a parlé de vous.

— Je m'appelle Jane Fox, annonça la jeune fille.

— Et moi, je suis Mme Pepper. Je viens quatre fois par semaine.

— J'ai eu l'occasion de remarquer que vous entretenez merveilleusement bien cette maison, affirma aimablement Jane.

— Elle en vaut la peine, expliqua Mme Pepper avec fierté. Ces vieilles demeures possèdent un charme qui n'existe nulle part ailleurs, et je mets un point d'honneur à ce que celle-ci soit impeccable.

Quand la femme de ménage retira son tablier, Jane admira son ensemble en laine brune.

— L'avez-vous tricoté vous-même ? s'enquit-elle en le désignant d'un geste.

— Oui, je tricote le soir. J'ai horreur de rester inactive.

Comme Mme Pepper se montrait disposée à bavarder, Jane lui offrit de prendre le thé avec elle.

— Volontiers, répondit-elle.

Quelques instants plus tard, assise en face d'une interlocutrice très volubile, Jane apprit toutes les petites affaires qui occupaient les habitants du village voisin. Mme Pepper lui raconta ensuite par le menu ses conversations avec son mari, et la jeune fille se surprit à sourire en se rendant compte qu'elle n'avait pas besoin de dire un mot : sa compagne discourait sans répit, parlant largement pour deux.

Au bout d'un moment, Mme Butler pénétra dans la cuisine. Elle venait d'accueillir un vieux poney pour lequel elle avait préparé un box la veille. Considérant un instant la scène d'un air amusé, elle demanda :

— Reste-t-il un peu de thé ?

Elle adressa ensuite un sourire complice à Jane en ajoutant :

— Je compte sur votre aide pour traire les chèvres, Jane. Ce n'est pas difficile, vous verrez.

Mme Pepper s'empressa de se lever et s'éclipsa discrètement afin de poursuivre son travail à l'étage.

Après son départ, Mme Butler éclata de rire.

— Chère Mme Pepper, elle est bavarde comme une pie !

— Comment va le poney ? demanda Jane.

— Il est en train de se remettre de ses émotions. Il a échappé de justesse à l'abattoir, le pauvre ! D'ici quelques jours, lorsqu'il sera habitué à son nouveau logis, il pourra quitter son box.

Cet après-midi-là, quand la pluie se calma, Jane apprit à traire les chèvres. Mme Butler se révéla très patiente et elle s'amusa gentiment de sa maladresse de débutante. Lorsque Rosy renversa son seau d'un coup de sabot pour la troisième fois, elle trouva l'incident extrêmement divertissant. Jane en revanche commençait à s'impatienter pour de bon.

— C'est assez pour aujourd'hui, déclara alors la vieille dame, se montrant compréhensive. Ne vous inquiétez pas, demain vous réussirez mieux.

— Que dois-je faire maintenant ? lui demanda-t-elle, avec l'impression de ne pas mériter son salaire.

— Emmenez donc les chiens. Ils ont besoin d'une longue promenade.

Embarrassée, Jane suggéra :

— Ne pourrais-je pas plutôt préparer le dîner à votre place ?

Mᵐᵉ Butler feignit de la regarder d'un air sévère que démentit la gentillesse de ses propos :

— Ne vous croyez pas obligée de travailler du matin au soir. Je suis très contente que vous soyez là, ne l'oubliez pas.

Jane étouffa un soupir. Un sentiment de culpabilité l'oppressait tandis qu'elle partait avec les chiens. Sa présence à l'Ermitage s'avérait inutile. Mᵐᵉ Butler se débrouillait très bien sans elle. Elle ne l'avait pas engagée pour bénéficier d'une aide, mais uniquement afin de disposer d'une alliée contre Sylvia. Soudain, Jane comprit intuitivement que la vieille dame ne lui avait pas dévoilé tout son plan. Quelles surprises lui réservait-elle ? Engagée dans un processus qui la dépassait, Jane se prit à redouter d'en être la première victime.

Accaparée par ses pensées, elle marchait droit devant elle. Tout à coup, le mur qui clôturait le parc se dressa sur son chemin. En cet endroit, il croulait à moitié sous les assauts des ans et des intempéries. L'herbe était encore glissante à cause de la pluie, mais le ciel déployait à nouveau ses immensités bleues et claires.

Jane observa d'abord les chiens qui s'affairaient autour d'elle, gambadant et reniflant, puis elle remarqua un vieux portail dans le mur. A moitié arraché, il était ouvert, reposant de biais sur le sol. Les chiens le dépassèrent allègrement et, après un instant d'hésitation, Jane les suivit.

Au-delà du mur s'étendait un pâturage verdoyant où paissaient des vaches. Quelques arbres leur procuraient de l'ombre. Plus loin, Jane vit un champ de blé limité par une haie égayée de bourgeons printaniers. Il s'en dégageait une impression de prospérité.

Tandis qu'elle s'arrêtait pour étudier le paysage qui s'offrait à elle, un jeune homme traversa la prairie pour la rejoindre. Très grand et élancé, il avançait avec une démarche rapide et sportive.

Il se trouvait encore assez loin quand il lui cria :

— Bonjour ! Venez prendre une tasse de thé à la maison !

Un peu perplexe, Jane lui sourit. Les chiens se précipitèrent vers l'inconnu en aboyant joyeusement.

L'homme arriva enfin à la hauteur de Jane. La regardant avec curiosité, il déclara :

— Je sais qui vous êtes. Vous êtes la nouvelle protégée d'Elaine, ai-je raison ?

Jane éclata de rire.

— En effet. Je m'appelle Jane Fox.

L'inconnu prit la main qu'elle lui tendait et annonça :

— Je suis Jimmy Whitney. Mon père exploite cette ferme.

— Mme Butler et Mme Pepper m'ont chanté ses louanges expliqua Jane. C'est une ferme modèle, paraît-il.

Jimmy lui adressa un large sourire.

— Dites-le à mon père, il sera ravi. M'accompagnerez-vous ? Je n'ai pas souvent l'occasion de passer un moment en aussi charmante compagnie.

Rougissante, Jane répondit :

— Vous me flattez, mais vous connaissez sûrement Sylvia.

— Certes, je l'ai vue à maintes reprises. Toutefois, le regard de Sylvia passe à travers moi comme si j'étais en verre. Je suis l'homme invisible et vous ne vous en étiez pas aperçue ! plaisanta Jimmy. Sylvia ignore les gens qui ne sont pas milliardaires.

Ouvrant de grands yeux, Jane s'écria malgré elle :

— Nick n'est pourtant pas...

— Non, coupa-t-il en riant, mais il possède l'Ermitage. Il n'a pas besoin de tant d'argent puisque toutes ces terres lui appartiennent.

Jimmy accompagna ses propos d'un geste ample qui

enveloppa les champs et les prés autour de lui. Ils formaient de beaux rectangles que Jane contempla rêveusement.

— Quel domaine magnifique ! murmura-t-elle.

Jimmy l'approuva d'un hochement de tête.

— Mon père aimerait acheter la ferme, mais Nick n'a pas besoin de la vendre. En tant qu'architecte, il gagne largement sa vie. D'ailleurs, Elaine s'opposerait à ce qu'il se dessaisisse de la moindre parcelle de l'Ermitage.

— Elle est profondément attachée à cette propriété, glissa Jane.

— Oui, plus encore que Nick peut-être. Ayant toujours vécu à l'Ermitage, il ne se rend probablement pas compte de sa chance.

Tout en continuant à bavarder, Jimmy et Jane partirent en direction de la ferme. Les chiens couraient devant eux, les vaches redressaient la tête à leur passage pour les fixer d'un air inexpressif.

Le père de Jimmy travaillait dans la cour, coiffé d'un chapeau en feutre déformé, et vêtu d'un vieux pull-over troué aux coudes sur un pantalon décoloré.

— N'as-tu pas honte de ta tenue ? lança Jimmy sur un ton plein d'affection. Nous avons de la visite et tu es habillé comme un mendiant !

James se tourna vers les arrivants avec un sourire chaleureux.

— Quelle bonne surprise ! Cette jeune fille saurait-elle coudre par hasard ?

Lui serrant la main, Jane répliqua avec le même humour :

— Je vous repriserai volontiers votre pull si vous le désirez.

D'un naturel ouvert, le fermier lui expliqua :

— Mon métier ne me permet pas d'être élégant et que voulez-vous ? Depuis que j'ai perdu ma femme, je n'ai plus personne pour s'occuper des tâches domestiques.

— Mme Cooper ne demanderait pas mieux que de venir prendre soin de toi, affirma Jimmy, l'air taquin.

Les traits rougeauds de James Whitney exprimèrent une frayeur comique.

— Que Dieu me protège de cette créature !

— C'est une perle et mon père se refuse à le reconnaître ! plaisanta Jimmy.

Le fermier lui lança une poignée de paille pour le réduire au silence et s'éloigna en maugréant contre l'impertinence des jeunes générations.

Invitée à pénétrer dans la maison, Jane se vit dans l'obligation de refuser :

— Je suis désolée, mais étant donné l'heure, je dois vous quitter. Mme Butler va s'inquiéter.

— Nous avons le téléphone. Appelez-la, suggéra Jimmy.

— Non, je ne peux pas me le permettre. Je suis une employée et non pas une invitée.

— Vous disposez certainement d'heures de liberté dans la journée.

Cette affirmation prit Jane au dépourvu. Elle ne s'était pas encore posé la question.

— Je travaille si peu que je n'oserais pas solliciter des congés, expliqua-t-elle.

— Voyons, c'est normal ! s'exclama Jimmy. Dépêchez-vous de mettre la situation au clair, sinon je ne pourrai jamais vous emmener au cinéma.

— Je ne suis pas allée au cinéma depuis des siècles, soupira-t-elle.

— Raison de plus ! Vous règlerez ce problème, n'est-ce pas ? Dites à Elaine que je souhaite sortir avec vous.

S'empourprant légèrement, Jane déclara :

— Je vous remercie, mais...

— Vous n'avez pas l'intention de refuser, j'espère ? protesta Jimmy. Je serais si malheureux !

Quoique encore un peu confuse, Jane sourit.

— Vous ne pensez tout de même pas que je vous crois !

Le jeune homme ne manquait pas de charme et elle le soupçonnait de remporter un succès considérable auprès des femmes. Si Sylvia l'ignorait, d'autres l'appréciaient sans doute beaucoup.

— Comment puis-je vous prouver ma bonne foi ? lança-t-il. Faut-il que je pleure ? Que je marche sur les mains ?

Aussitôt dit, aussitôt fait, il bascula avec grâce en avant et tourna autour d'elle, la tête en bas, les pieds en haut.

— Voilà, êtes-vous convaincue à présent ? s'enquit-il en se remettant debout.

En dépit de son scepticisme, Jane riait aux éclats.

— Je vais vous raccompagner, décida Jimmy. Ainsi, je disposerai de plus de temps pour plaider ma cause.

Embarrassée, Jane allait répondre quand elle aperçut Nick qui se dirigeait vers eux. Vêtu d'un pantalon beige et d'un pull marron, il avançait à grands pas.

— Où diable aviez-vous disparu ? s'écria-t-il sans façon dès qu'il eut rejoint Jane et son compagnon. Ma tante est folle d'inquiétude.

— Je suis désolée, murmura Jane. Je…

— Je suis le seul coupable, intervint Jimmy en souriant d'un air conciliant. C'est moi qui ai persuadé cette jeune personne de nous honorer d'une visite.

— Jane aurait dû refuser. Elle n'a pas à rendre de visite pendant ses heures de travail. Elle était chargée de promener les chiens et non pas de se laisser faire la cour !

— Vous allez un peu loin ! protesta Jane en rougissant, à la fois de gêne et de colère. Je n'ai tout simplement pas vu passer l'heure.

— Ecoutez, risqua Jimmy, vous vous montrez trop…

— Je ne vous demande pas votre avis, coupa sèchement Nick. Bonsoir !

S'emparant du bras de Jane, il l'entraîna avec lui. Dans sa contrariété, il ne daigna pas répondre aux saluts joyeux des chiens qui sautaient autour de lui afin d'attirer son attention.

— Je vous croyais raisonnable, déclara-t-il sur un ton toujours aussi sévère. N'avez-vous pas remarqué que Jimmy est un incorrigible séducteur ? Que faites-vous ici avec lui alors que ma tante se ronge les sangs ?

— Elle m'a envoyée promener les chiens et nous n'avions pas convenu d'une heure précise pour mon retour, répliqua Jane avec raideur.

— Elle comptait sur votre bon sens pour que vous ne vous absentiez pas trop longtemps ! lança Nick.

Sa fureur persistait, et Jane ne tenta pas de discuter davantage car elle se sentait au bord des larmes. Ils marchèrent un moment en silence. Nick se décida finalement à jeter un coup d'œil de son côté. Elle baissait la tête et semblait si accablée qu'il se radoucit aussitôt.

— Je me suis emporté, je le regrette, annonça-t-il. A peine rentré après une journée de travail difficile, il m'a fallu partir à votre recherche et je me suis fâché. Je vous demande pardon.

Emue par cette soudaine humilité, Jane dut s'éclaircir la voix pour répondre :

— Je vous en prie, c'est sans importance.

— Mais si. Je me suis mal conduit. Vous avez sans doute eu le temps de cerner la personnalité de Jimmy. Que vous a-t-il dit ?

— Il m'a invitée à sortir avec lui, avoua-t-elle sans réfléchir.

Nick se rembrunit à nouveau.

— Son manque de sérieux est connu dans toute la région. Je ne sais pas si vous serez capable de vous défendre contre ses avances.

— Je ne suis plus une enfant ! protesta Jane.

— En êtes-vous sûre ? lança Nick avec un sourire qui l'irrita profondément.

— Parfaitement sûre, et Jimmy m'a paru très sympathique, affirma-t-elle par défi.

— Je n'en doute pas !

— Par ailleurs, ma vie privée m'appartient, enchaînat-elle avec fermeté. Que je sois votre employée ne vous donne pas le droit de contrôler mes faits et gestes.

Elle observa son compagnon à la dérobée, rencontrant un profil dur et fermé. Le silence s'installa à nouveau entre eux. Quand Nick le rompit, il s'adressa à Jane sur un ton mécontent :

— J'aurais dû deviner que vous refuseriez de m'écouter. Après avoir sacrifié une partie de votre jeunesse à votre tante, vous avez sans doute envie de vous amuser et je vous comprends. Mais attention, certaines erreurs se paient très cher !

— Je vous remercie de m'avertir, déclara Jane. Toutefois, je pense que personne ne peut rien apprendre de l'expérience des autres.

— Vous tenez sans doute à faire vos expériences vous-même ! rétorqua-t-il, l'air courroucé. Très bien ! Pourquoi ne pas commencer tout de suite ?

Son regard étincelait et il attira si brutalement Jane contre lui qu'elle perdit l'équilibre. Si elle ne s'était pas abandonnée à son étreinte, elle serait tombée. Trop surprise pour réagir, elle se laissa embrasser sans se débattre, ni répondre au baiser de Nick. Rien de tel ne lui était encore jamais arrivé et le contact doux, mais ferme, de ses lèvres produisit sur elle une impression inoubliable. Lorsqu'il se redressa, elle ne tenta pas d'échapper à ses bras. Elle avait pâli et tremblait légèrement.

Cherchant son souffle, Nick la considérait avec une stupeur égale à la sienne. Durant quelques instants, ils conservèrent une immobilité de statues.

— Mon Dieu, suis-je devenu fou ? s'écria-t-il soudain.

Jane retrouva subitement la force de s'arracher à lui et elle s'enfuit en courant vers la maison. Il la suivit un moment des yeux avant de repartir à grands pas dans l'obscurité.

D'une fenêtre du premier étage, Mme Butler avait surpris la scène et elle souriait.

— Un point pour moi, Miss Sylvia ! murmura-t-elle pour elle-même sur un ton satisfait.

4

Tourmentée par ses remords, Jane dormit très mal cette nuit-là. L'antipathie qu'elle éprouvait à l'égard de Sylvia lui rendait la situation encore plus inacceptable. Elle se sentait traître et malhonnête. Auprès de sa tante, elle avait été formée à une école stricte. Elle était imprégnée de valeurs morales que la société de cette seconde moitié du xxe siècle tendait à oublier. Jusqu'à ce jour, elle ne s'était jamais trouvée en conflit avec elles. Que devait-elle faire à présent ?

Elle songea à quitter l'Ermitage. Ce remède lui semblait à certains moments disproportionné au mal. Ne s'exagérait-elle pas l'importance d'un incident que Nick avait déjà oublié ?

Mais lorsqu'elle essayait d'apaiser ses scrupules, le souvenir de son baiser lui enflammait les joues et insufflait une intolérable faiblesse à tous ses membres. Elle se redressait alors dans son lit, frémissante et affolée.

Lorsqu'elle s'assoupit enfin, elle sombra dans un sommeil si profond qu'elle ne se réveilla qu'en pleine matinée, les paupières lourdes et l'esprit confus.

Elle s'empressa de se préparer, puis dévala les escaliers. Le soleil entrait à flots dans la cuisine déserte. Les chatons somnolaient dans leur panier et la vieille horloge marquait imperturbablement le temps avec un tic-tac grave, évoquant le bourdonnement des abeilles dans la prairie.

Après avoir pris son petit déjeuner à la hâte, Jane partit à la recherche de Mme Butler. Ne la découvrant nulle part, elle fut contrainte de rentrer, honteuse de lui avoir abandonné tout le travail de ce début de journée.

Un bruit de voix l'attira bientôt à l'avant de la maison. Quelqu'un avait sonné à la porte principale et, dans la lumière qui éclairait le seuil, les cheveux blancs de Mme Butler brillaient comme de l'argent.

— Non, non, je n'ai besoin de rien, déclara-t-elle.

— Ne vous servez-vous donc pas de lavande ? Voyons, madame, vous savez ce qui est bon. Ne le niez pas, je le vois.

— Je cultive ma lavande moi-même, répliqua-t-elle avec un soupçon d'impatience. Je la sèche et je la mets dans de petits sacs de soie afin d'en garnir les tiroirs et les placards.

Restant dissimulée dans l'ombre du hall, Jane observait la vieille dame. Elle étudia aussi l'homme qui lui parlait, un personnage petit et trapu, à la chevelure noire, au visage rond et souriant.

— Alors je capitule, fit-il avec humour. Je me suis déplacé inutilement. Tant pis. Cela arrive parfois.

Il se préparait à s'en aller quand il aperçut Jane et son sourire s'accentua à nouveau.

— Cette jeune fille ne se montrera peut-être pas aussi impitoyable que vous ! Puis-je vous présenter mes articles, mademoiselle ?

Mme Butler n'eut pas le temps de réagir. Avec une vivacité éprouvée, l'homme s'était introduit à l'intérieur de la demeure. Pour un être de sa corpulence, il témoignait d'une agilité étonnante.

— L'éclairage est très mauvais. Si vous permettez...

Sans attendre de réponse, il s'avança, jetant un coup

d'œil dans chaque pièce, se décidant finalement à entrer dans le salon.

— Voilà ! Ici vous pourrez examiner mes articles à loisir.

Indignée, Mme Butler le rattrapa et s'écria :

— Vous ne manquez pas d'audace ! Je ne vous ai pas invité à pénétrer chez moi !

— Je ne vous demande que cinq minutes.

Il avait déposé sa valise sur la table et en sortait déjà des flacons, des boîtes, des étuis et des bombes qui dégageaient de forts parfums. Jane adressa un regard d'excuse à Mme Butler et haussa les épaules en signe d'impuissance.

— Je n'ai besoin de rien, expliqua-t-elle au représentant. Je suis désolée.

Pourquoi ne se montrait-elle pas plus ferme, voire brutale avec cet homme ? Son aplomb la contrariait, et elle souhaitait son départ, sans pouvoir pour autant se décider à lui parler durement.

Moins scrupuleux de toute évidence, il discourait sans répit, vantant les qualités de ses produits. En même temps, ses yeux perçants parcouraient le salon, détaillant le mobilier et les bibelots. Il examina longuement une élégante vitrine remplie de porcelaines.

— Je ne vous achèterai rien, annonça enfin Jane d'une façon catégorique. Je vous prie de quitter cette maison… immédiatement.

— Très bien, je m'en vais, accorda-t-il en se dirigeant vers la vitrine. Vous possédez de belles pièces. Seriez-vous disposées à les vendre ?

Cette requête concernait Mme Butler qui rétorqua violemment :

— Certainement pas. Jane, veuillez appeler la police.

— Pourquoi vous fâchez-vous ? Je m'en vais, je viens de vous le dire.

L'homme acheva de ranger ses articles et marcha vers la porte. Tout en traversant le hall, il continua à bavarder avec entrain, comme si de rien n'était. Sa main libre caressa au passage le vieux porte-parapluies placé le long d'un mur.

Avant de disparaître, il adressa un grand sourire à ses interlocutrices.

— Sans rancune, mesdames ! Bonne journée !

Mme Butler claqua la porte derrière lui tandis que Jane s'agenouillait devant le porte-parapluies afin de l'examiner.

— Que faites-vous ? s'enquit Mme Butler en fronçant les sourcils.

— A-t-il de la valeur ?

L'intonation pressante de Jane l'amusa. Elle considéra l'immense pot en porcelaine, jauni et craquelé par les ans, aux bleus et aux verts pâlis, et elle éclata de rire.

— Il s'agit d'un banal rescapé de l'ère victorienne.

— Le représentant l'a pourtant regardé avec intérêt, assura Jane.

— Peut-être possède-t-il le même. Ou alors il aime les objets de cette époque. Ils connaissent une certaine vogue, vous savez. Personnellement, je les ai en horreur. Toutes ces fausses antiquités me déplaisent.

— Vous préférez votre cuisine, glissa Jane en souriant.

— Je l'avoue. C'est une pièce claire et chaleureuse, et non pas un musée !

Retournant sur le seuil du salon, Mme Butler expliqua à sa compagne :

— Toute cette partie de la maison était aménagée comme vous le voyez aujourd'hui quand je suis venue à l'Ermitage. Je n'y ai pas apporté le moindre changement et je m'y sens mal à l'aise. Je ne la trouve pas assez intime.

— Elle est sans doute au goût de Sylvia, déclara Jane.

A ces mots, Mme Butler soupira, puis se redressa, carrant les épaules d'un air combatif.

Sylvia arriva un peu plus tard. Elle remonta l'allée en

trombe au volant de sa voiture de sport en klaxonnant bruyamment. Effrayés, les chevaux bondirent de droite et de gauche avant de fuir à l'autre bout de la prairie. Jane était en train d'examiner leurs sabots et elle dut se résigner à abandonner sa tâche.

A regret, elle s'avança vers la jeune fille qui s'était arrêtée et lui adressait des signes de la main. Jane la salua d'une voix neutre et, sans daigner lui répondre, Sylvia lança :

— Etes-vous prête ?

— Prête ? s'étonna-t-elle.

L'impatience se peignit sur le joli visage soigneusement maquillé.

— Nick vous a sûrement avertie. Je suis chargée de vous emmener en ville afin que vous vous achetiez quelques vêtements corrects.

Rougissant d'indignation, Jane répliqua :

— Je n'ai besoin de personne pour m'acheter des vêtements, je vous remercie. D'ailleurs, je ne peux pas partir sans prévenir Mme Butler et...

— Nous allons la prévenir, déclara Sylvia. De toute façon, il faut que vous vous changiez.

Elle esquissa une moue de dégoût en considérant le jean taché de boue de son interlocutrice.

Celle-ci se dominait difficilement. La colère éclatait dans ses yeux bruns et figeait ses traits.

Sylvia la regarda avec un demi-sourire et, se laissant à nouveau aller contre le dossier de son siège, elle l'invita à monter à ses côtés.

Jane hésitait. Elle cherchait en vain des mots adéquats pour refuser, des mots qui, sans faillir à la politesse, auraient su exprimer son mécontentement.

— Ecoutez, annonça Sylvia sur un ton condescendant, si vous n'avez pas d'argent, Nick vous en avancera sur votre premier salaire.

— J'ai tout l'argent que je désire ! rétorqua-t-elle

brutalement, oubliant ses résolutions de rester courtoise.

— Alors montez, qu'attendez-vous ?

Force fut à Jane d'y consentir. Quelques instants plus tard, elle s'étudiait avec irritation dans la glace de sa chambre. N'avait-elle pas l'air d'une écolière ? Ou pire : d'un écolier ? Alliée à sa silhouette mince, à son visage respirant la santé et ignorant les produits de beauté, sa tenue lui conférait une allure adolescente.

Haussant les épaules, elle se détourna du miroir pour enfiler un pull-over jaune sur une jupe marron. Elle brossa ensuite sa belle chevelure soyeuse et se décida à mettre un soupçon d'ombre à paupières et de rouge à lèvres.

Lorsqu'elle rejoignit Sylvia dans le hall, celle-ci la détailla, puis affirma avec un sourire à la fois dédaigneux et ironique :

— Voilà qui est un peu mieux !

Jane se mordit les lèvres pour ne pas répondre. Elle ne pouvait plus croire qu'elle avait passé la moitié de la nuit à se torturer. Pourquoi avait-elle envisagé comme une nécessité de quitter l'Ermitage ? Ni elle, ni personne ne risquait de séparer Nick et Sylvia. Plus aucune femme n'existait pour un homme qui connaissait cette superbe créature blonde aux inoubliables yeux verts en amande. Jane se sentit soudain terriblement insignifiante face à Sylvia. La situation lui apparaissait enfin comme elle était et non pas comme elle l'avait vue à travers le prisme déformant de son imagination.

N'en concevait-elle pas un léger dépit ? se demandat-elle quelques minutes plus tard. Qu'aurait-elle exactement souhaité ? Elle n'osa pas trop y réfléchir et elle soupira sans le vouloir.

Se méprenant sur son attitude, Sylvia lança :

— Vais-je trop vite pour vous ?

En posant la question, elle sourit d'un air perfide et accéléra de plus belle.

Jane n'aimait pas rouler si vite, mais pour rien au monde elle n'aurait trahi son appréhension. Elle serra les dents et souffrit en silence. Au bout d'un moment, Sylvia se résigna à ralentir et bientôt, la voiture blanche pénétra dans les rues de Malden. Les deux jeunes filles n'avaient plus échangé un mot.

Sylvia entraîna sa compagne dans un magasin où une jolie brune de son âge les accueillit poliment. Elle connaissait de toute évidence très bien Sylvia, mais n'éprouvait guère de sympathie pour elle.

— Bonjour Helen, je vous amène une cliente. Aurai-je droit à une commission?

Souriante, la vendeuse tendit la main à Jane.

— Bonjour, cliente. Je m'appelle Helen Cochrane.

A ces mots, Sylvia se raidit. Elle déclara toutefois sur un ton désinvolte :

— J'ai oublié de faire les présentations, pardonnez-moi. Voici Jane Fox, la secrétaire de mon fiancé.

Ignorant délibérément Sylvia, Helen affirma sur un ton aimable :

— Vous êtes donc à la recherche de vêtements, Jane. Votre couleur de cheveux vous permet de porter ce qui vous plaît. Que voulez-vous? Une robe? Un manteau?

— De tout, glissa Sylvia d'une voix méprisante. Et j'opterais pour des teintes pastel.

— Nous verrons, décida Helen en prenant Jane par le bras.

Elle se dirigea avec elle vers le salon d'essayage, repoussant un rideau doré qui s'accordait à merveille à la moquette, et formait un contraste raffiné avec le bleu marine des murs.

Sylvia n'avait pas bougé, mais elle s'était empourprée. Elle fixait ses deux compagnes d'un air furieux.

— Il est inutile que vous attendiez, Sylvia, lança Helen par-dessus son épaule. Vous avez certainement des courses à faire. Jane vous retrouvera au China Cup pour le déjeuner.

Renvoyée sans façon, Sylvia quitta le magasin en claquant la porte. Helen sourit.

— Au revoir, Miss ! ironisa-t-elle, très contente de son comportement.

Se tournant à nouveau vers Jane, elle lui expliqua :

— Elle méritait une leçon. En vous conduisant chez moi, elle tenait à me rappeler que je suis une humble femme obligée de gagner sa vie alors qu'elle va épouser le seigneur de l'Ermitage.

— Est-ce Nick que vous surnommez ainsi ? Il refuserait certainement cette appellation.

— Sans aucun doute, accorda Helen. Sylvia est en revanche d'un snobisme insupportable. Elle compte d'ailleurs faire de lui un personnage plus en vue lorsqu'ils seront mariés. Je la connais bien, nous sommes allées en classe ensemble. Elle rêve depuis longtemps d'un beau mariage. Elle est ambitieuse et possessive.

Ces propos rejoignaient ceux de Mme Butler, songea Jane, éprouvant ensuite des difficultés à ne plus penser qu'aux robes que lui présenta Helen.

A la vue de ses sous-vêtements presque austères dans leur simplicité, celle-ci fronça les sourcils.

— Vous devriez aussi renouveler votre lingerie. En matière d'élégance, tout a son importance.

Un peu plus tard, Jane se contemplait dans une glace. Elle essayait une robe inspirée du folklore russe, en lainage vert, assez longue, et soulignée d'une broderie noire à l'encolure et au bas de la jupe.

— Elle vous va bien, déclara Helen. Ce style vous convient. Mais je vous conseillerais d'aller chez le coiffeur.

Penchant la tête sur le côté, elle étudia encore plus attentivement la jeune fille.

— Pourquoi ne pas continuer dans cette ligne ? J'ai une autre robe du même genre. Vous êtes métamorphosée.

Gagnée par une curieuse exaltation, Jane balbutia :

— Croyez-vous vraiment que... que...

Ses yeux brillants et ses joues rouges témoignaient de son émotion. Le coloris vif de la robe lui donnait du caractère. Helen avait raison, elle se sentait métamorphosée.

N'éprouvant pas le moindre doute, la jeune femme affirma d'ailleurs :

— Oui, il vous faut de la couleur et des coupes originales. Les tons pastel ne vous mettent pas assez en valeur. Sylvia le savait quand elle vous les a recommandés, j'en suis persuadée.

— Pourquoi me les a-t-elle recommandés dans ce cas ? s'étonna Jane.

— Vous connaissez certainement la réponse mieux que moi. Elle souhaite que vous passiez inaperçue, je suppose, pour que Nick ne s'intéresse pas à vous. Elle appartient à une catégorie d'êtres implacables pour lesquels deux précautions valent mieux qu'une.

— Elle n'a pourtant rien à craindre, objecta Jane qui s'était violemment empourprée malgré elle.

— Bien sûr, mais elle prend de toute façon plaisir à écraser les gens de son entourage par n'importe quel moyen.

Une heure après, Jane sortait du magasin avec toutes sortes de vêtements, robes, ensembles, jupes, délicieux corsages très travaillés, et pulls qu'elle avait insisté pour acheter en dépit de l'avis contraire d'Helen.

— J'en ai besoin pour m'occuper des animaux, lui avait-elle expliqué. Vous ne voudriez pas que je les soigne dans l'une de ces jolies robes !

Elle ne trouva pas Sylvia parmi les nombreuses personnes qui déjeunaient dans le restaurant que lui avait indiqué Helen. Elle commanda un repas très simple et, Sylvia n'arrivant toujours pas, elle décida de retourner au magasin.

— Profitez de l'occasion pour aller chez le coiffeur, lui suggéra Helen.

— C'est impossible. Je dois rentrer à l'Ermitage.

— Comment ? Il n'y a que quelques autobus par jour et je ne suis pas au courant de leurs horaires, déclara son interlocutrice.

Devant son embarras, elle décrocha tout à coup le téléphone d'un air décidé et commença à composer un numéro.

— Appelez-vous la compagnie ? s'enquit Jane.

— Non, j'appelle Nick.

— Oh, n'en faites rien, je...

Jane n'eut pas le temps d'achever sa phrase. Helen avait obtenu la communication et elle saluait l'architecte avec l'aisance d'une vieille connaissance. Après avoir échangé avec lui quelques propos aimables, elle lui expliqua la situation et soudain, elle tendit le combiné à Jane en souriant.

— Il désire vous parler.

— Bonjour, fit-elle timidement.

— Vous avez envie d'aller chez le coiffeur et de vous acheter des chaussures, paraît-il. Pensez-vous avoir terminé à cinq heures ? Nous pourrions nous retrouver au China Cup et je vous ramènerai à l'Ermitage.

Nick s'était exprimé d'une façon courtoise et en même temps directe d'homme occupé. Prise au dépourvu, Jane se borna à murmurer :

— Cela me convient, je vous remercie.

Après un bref silence, il déclara un peu sèchement :

— Alors c'est entendu. Au revoir.

Un déclic indiqua à la jeune fille qu'il raccrochait et elle l'imita, mais d'un geste plus lent.

— Eh bien ? s'enquit Helen avec curiosité.

— J'ai rendez-vous avec lui à cinq heures au China Cup.

— Que demander de mieux. Venez, je vous conduis chez le coiffeur.

Jane ne contrôlait plus le déroulement des événements. Elle se laissa guider par sa compagne qui ne la quitta qu'après avoir donné des instructions précises à la coiffeuse. Avec un mélange de surprise et d'appréhension, Jane vit ensuite les ciseaux courir dans sa chevelure, manipulés par une main habile.

Un peu plus tard, assise sous le séchoir, elle reconnut tout à coup la voiture de Sylvia dans la rue. Prisonnière d'un embouteillage, la jeune fille klaxonnait impatiemment. A ses côtés se trouvait un homme grisonnant, de belle allure et très distingué, qui souriait de son mécontentement. Son bras reposait avec familiarité sur le dossier du siège, derrière elle.

S'agissait-il de son père ? Jane les observa tous les deux, intriguée. De toute évidence, l'inconnu éprouvait une vive admiration pour la jeune fille. A un moment, elle tourna vers lui sa tête blonde et le considéra d'un air légèrement coquet et provocant. Jane s'interrogea de plus belle. Une grande intimité régnait sans aucun doute entre eux, mais quelle était sa nature exacte ?

Puis la voie se dégagea, le véhicule blanc redémarra, et Jane se laissa aller en arrière dans son fauteuil.

Sa nouvelle coiffure lui plut beaucoup, Helen avait été bien inspirée. Ses traits y gagnaient en personnalité et si elle ne se jugeait pas encore irrésistible, elle constatait du moins que la transformation s'était effectuée à son avantage.

Helen se montra nettement plus enthousiaste quand elle retourna la voir dans son magasin.

— Magnifique ! Ne vous l'avais-je pas dit ? Etes-vous satisfaite ?

— Oui.

— Voilà un oui bien tiède ! Regardez-vous ! Admirez-vous ! lança Helen avec vigueur.

Jane éclata de rire.

— J'ai l'impression d'être une autre !

— Il vous faut des chaussures à présent.

— Est-ce indispensable ? Je suis épuisée, protesta la jeune fille.

— Encore un peu de courage, insista Helen. Il serait dommage de négliger le dernier détail.

En soupirant, Jane la suivit dans un autre magasin dont le sol se couvrit bientôt de boîtes ouvertes sur des souliers de toutes sortes. Intraitable, Helen savait exactement ce qu'elle voulait pour sa compagne.

Chargée de paquets, Jane fut ensuite ravie de pouvoir s'asseoir dans la boutique de la jeune femme. Celle-ci ne tarda pas à l'envoyer au China Cup. N'ayant pas eu le temps de déjeuner, elle avait décidé de fermer très tôt et de l'y rejoindre.

Elles s'installèrent dans un coin tranquille et une serveuse qui semblait bien connaître Helen leur apporta du thé et des gâteaux. Après son départ, la jeune femme lui demanda à brûle-pourpoint :

— Que pensez-vous de Nick ?

Jane sursauta et rougit malgré elle.

— Oh, il... C'est un homme très agréable.

Helen la considéra d'un air amusé.

— Très agréable et très séduisant, renchérit-elle. Il fait des ravages dans la région. A seize ans, j'étais amoureuse de lui et je sais voir à qui il plaît.

A ces mots, Jane se détourna, s'efforçant d'échapper au regard trop pénétrant de son interlocutrice.

Par bonheur, Helen cessa de l'observer pour accorder toute son attention aux gâteaux qu'on leur avait servis. Elle en entama un avec appétit tandis que Jane mangea le sien par simple automatisme.

Bientôt, elle relança la conversation sur le même sujet :

— Nick a longtemps été notre Don Juan local. Il a eu de nombreuses amourettes, mais jamais rien de sérieux avant de rencontrer Sylvia. En vérité, c'est elle qui a jeté son dévolu sur lui. Ils se connaissaient bien sûr de vue depuis des années et de son côté, elle ne s'ennuyait pas non plus. Elle sortait chaque semaine avec un garçon différent. Toutefois, aucun d'entre eux n'était assez riche pour elle. Alors un beau jour, elle a sorti toutes ses armes afin de conquérir Nick.

— A vous entendre, il s'agirait d'une guerre et non pas d'amour ! tenta de plaisanter Jane qui fixait son assiette.

— Sylvia est incapable du moindre sentiment, affirma Helen, implacable.

— Vous ne lui accordez aucune indulgence.

Elle hésita avant de répondre. Enfin, haussant les épaules et souriant, elle déclara :

— Je ne l'ai jamais aimée. Ses grands airs m'excédaient déjà du temps où nous allions en classe.

— Elle est très belle en tout cas.

— Et elle le sait, hélas ! Elle se prend pour le centre du monde.

Toutes ces considérations ne formaient pas un portrait très sympathique de Sylvia et Jane s'exclama :

— Pauvre Nick !

Son ton était léger, mais son cœur étrangement lourd.

— Oui, pauvre Nick ! répéta Helen. Il se prépare une vie infernale. Quelqu'un devrait lui ouvrir les yeux avant qu'il ne s'engage pour toujours.

Jane avait à peine écouté ces dernières paroles. Un peu craintif et timide, son regard s'était porté sur l'entrée du China Cup. Nick pénétrait dans l'établissement. Elle le voyait de profil et, quand il se tourna vers elle, elle suspendit son souffle. Elle se sentit rougir, sa gorge se noua et ses mains se crispèrent nerveusement sur ses genoux.

« Que m'arrive-t-il ? » se demanda-t-elle, furieuse contre elle-même. « J'ai des réactions d'écolière émotive ! » Les propos de Helen lui revinrent en mémoire et elle s'interrogea. S'était-elle, elle aussi, éprise de Nick ?

Cette idée la contraria et elle s'empressa de la chasser

de son esprit. Au prix d'un immense effort, elle accueillit l'architecte avec calme et décontraction.

Il se tint un instant devant elle, la détaillant attentivement, l'examinant tout entière, de sa nouvelle coiffure jusqu'à ses beaux souliers. Souriant ensuite à Helen, il lança :

— Etes-vous à l'origine de cette métamorphose ?

— Qu'en pensez-vous ?

Nick ouvrit la bouche pour répondre, mais aucun son ne passa ses lèvres. Son visage avait revêtu une expression curieuse. Finalement, il déclara :

— Je vous fais tous mes compliments. Vous avez bien travaillé.

Helen éclata de rire.

— Ne vous étonnez pas si les admirateurs de Jane se bousculent bientôt à la porte de l'Ermitage !

Soudain plus sombre, Nick prit un siège et changea de sujet.

5

Nick resta silencieux durant le trajet, et Jane l'observa à la dérobée. Son profil se détachait sur le ciel pâlissant du soir. Dans cet éclairage crépusculaire, il lui semblait de nouveau un étranger.

Elle se souvint de la façon dont elle l'avait jugé lors de leur première rencontre. Elle ne s'expliquait plus ses impressions initiales, elle ne réussissait même pas à les retrouver toutes. De mieux connaître Nick les avait déformées ou effacées.

Pourtant, de prime abord, il possédait indiscutablement cette allure dominatrice et arrogante qui l'avait frappée. Dans son complet élégant, de coupe impeccable, il constituait le portrait type du brillant architecte allant de succès en succès. Son regard gris-vert fixait la route loin devant lui, comme si tout en conduisant, il étudiait un problème. Parfois, ses lèvres au contour net et harmonieux se pinçaient ou s'étiraient imperceptiblement, lui conférant un air méprisant ou ironique qui répondait sans doute à l'une des pensées qui lui traversaient l'esprit.

Mais à présent, Jane savait ce que dissimulaient ces apparences. Nick pouvait aisément quitter son personnage d'homme d'affaires, il pouvait s'en débarrasser en deux mouvements, comme de son veston. Il suffisait de quelques secondes pour transformer l'architecte réputé de Malden en un être proche de la nature, détendu, tolérant, simple et charmant.

Des deux, lequel correspondait réellement au tempérament de Nick ? Etait-il davantage lui-même à l'Ermitage, lorsqu'il se promenait en jean avec Punch, Patch et Poppy ? Observant toujours l'homme assis à côté d'elle, absorbé dans ses réflexions, la mine aussi grave que sa tenue, Jane ne parvint pas à répondre à sa question.

Du moins, l'étranger silencieux près d'elle en ce moment s'accordait-il à Sylvia. Nick avait changé, Mme Butler ne s'en était pas rendu compte. Pendant qu'elle vivait dans ses rêves à l'Ermitage, il était devenu un citadin ambitieux.

Le découvrant sous un nouvel éclairage, Jane ne s'étonnait plus de le voir fiancé à une créature aussi froide et artificielle que Sylvia. Elle avait eu tort de penser que ses beaux costumes et ses manières distantes constituaient son masque pour vaquer à ses obligations hors de l'Ermitage. Le contraire se produisait en fait. Il jouait la comédie lorsqu'il rentrait chez lui afin de ne pas peiner sa tante. Mme Butler ne savait plus qui son neveu était réellement.

Sans s'en apercevoir, Jane secoua la tête et grimaça sous l'effet des idées qui s'agitaient en elle à la façon d'un essaim d'abeilles. Quand Nick éclata de rire, elle sursauta. La gaieté si spontanée et chaleureuse qui s'épanouit sur son visage lui fit oublier un instant ses sombres raisonnements.

— Que vous étiez drôle ! s'exclama-t-il.

— J'étais en train de régler un problème, annonça-t-elle pour se donner une contenance.

— S'agit-il d'un problème d'argent ? Puis-je vous aider ? s'enquit-il, retrouvant aussitôt son sérieux.

— Non, je vous remercie, ce n'est rien de tel.

A ces mots, Nick décocha à sa compagne un coup d'œil en coin.

— Vous tracasseriez-vous par hasard à cause de…

Il parut embarrassé et, se redressant sur son siège, il fixa intensément la route devant lui.

— J'espère ne pas vous avoir trop choquée quand je vous ai embrassée, reprit-il avec plus de fermeté. Je me suis emporté. Il y a longtemps que j'aurais dû vous en demander pardon.

— Ne vous inquiétez pas, c'est oublié, déclara-t-elle sur un ton qu'elle avait voulu simplement léger, mais qui parut dédaigneux.

Riant à nouveau, Nick lança :

— Tant mieux !

En dépit de son affirmation, il n'était pas vraiment content, elle s'en aperçut.

— Néanmoins, ajouta-t-il après quelques instants de silence, j'étais sérieux à propos de Jimmy. Je vous conseille de tenir compte de mon avertissement.

Jane ne l'écoutait qu'à moitié. N'aurait-il pas mieux fait de garder son sérieux pour lui-même, afin d'éviter ce baiser donné sans même y réfléchir, et reçu hélas avec une émotion qui refusait de s'estomper ?

— M'entendez-vous, Jane ? s'impatienta-t-il, les sourcils froncés. Méfiez-vous de Jimmy. Si vous ne me croyez pas, questionnez Helen puisque vous êtes en bons termes avec elle. Elle le connaît assez bien pour vous renseigner.

— C'est inutile, affirma-t-elle calmement.

Son opinion était faite. Malgré son peu d'expérience, elle l'avait jugé sans mal. Toutefois, elle se refusait à donner ouvertement raison à Nick. Elle lui en voulait de l'avoir traitée comme une enfant alors qu'elle commençait à se sentir vraiment femme pour la première fois de sa vie.

Nick se méprit hélas sur sa réponse.

— J'oubliais votre soif d'aventures. Que vos imprudences ne vous coûtent pas trop cher, je vous le souhaite ! lança-t-il avec amertume.

Jane ne répliqua pas. Cette querelle la peinait et elle ne désirait pas l'envenimer.

Au bout d'un moment, Nick soupira bruyamment.

— Que m'arrive-t-il ? Je suis odieux ces temps-ci ! Je vous prie de m'excuser, Jane. Je croyais agir dans votre intérêt.

— Je le sais, affirma-t-elle sans le regarder.

— Acceptez-vous de faire la paix ?

Elle sourit et inclina la tête.

— Très bien, affirma Nick.

Détachant alors l'une de ses mains du volant, il la posa un instant sur les siennes. Elle tressaillit, en proie à une violente émotion tout à la fois physique et morale. Jamais encore elle n'avait éprouvé cette union de tout son être dans une sensation unique. Il lui avait toujours semblé que son corps et son esprit menaient des existences indépendantes. Et voilà qu'ils fusionnaient, voilà qu'ils vibraient à l'unisson...

— Je vous y prends encore ! s'écria Nick.

Elle sursauta.

— Qu'y a-t-il ?

— Vous rêvez et vous grimacez à nouveau. En fait de rêve, il doit d'ailleurs plutôt s'agir d'un horrible cauchemar !

Elle éclata d'un petit rire forcé qui mourut sur ses lèvres quand Nick s'arrêta sans raison apparente aux portes de l'Ermitage. Aucun obstacle ne se dressait devant sa voiture. Surprise, Jane regarda autour d'elle. Dans la lumière déclinante du soir, chaque branche, chaque brin d'herbe se parait de mystère. Le ciel luisait, vaste nappe de soie aux couleurs changeantes, et un croissant de lune entamait sa promenade nocturne, enveloppé dans le châle blanc et ouatiné d'un nuage. Des oiseaux s'appelaient du fond de leurs nids invisibles, une nuée de moucherons tournoyaient autour d'un arbre, masse à la fois fourmillante et compacte.

— Aimeriez-vous voir la maison que j'ai achetée pour ma tante ?

Se sentant incapable de supporter plus longtemps ce tête-à-tête avec Nick, Jane lui répondit sur un ton hésitant :

— Il est... tard.

— Nous n'en aurons que pour quelques minutes.

Tandis qu'elle hésitait encore, il sortit du véhicule et le contourna afin de lui ouvrir sa portière. Elle ne bougea pas pour autant, aussi la tira-t-il soudain hors de son siège d'une main ferme et sûre. Elle se retrouva bientôt à ses côtés, traversant la route et pénétrant dans un petit cottage.

Le jardin n'était pas entretenu. Toutefois, en dépit de la semi-obscurité, elle y distingua d'innombrables fleurs appartenant aux espèces les plus diverses. Du lilas poussait contre la clôture blanche, des rosiers contre les murs de la demeure.

Nick ouvrit la porte et invita sa compagne à s'avancer dans une entrée minuscule, mais tapissée d'un papier fleuri qui semblait vouloir prolonger le jardin. Sur la droite, un escalier menait à l'étage, sur la gauche se succédaient plusieurs pièces. La première était un salon que Jane jugea agréable.

— Meublé, il sera charmant, affirma Nick.

L'entraînant ensuite dans la cuisine, il déclara :

— Elle est petite, mais vous remarquerez qu'il n'y manque rien. Elle est équipée des appareils les plus modernes. Qu'en pensez-vous ?

Jane l'examina, puis haussa les épaules avec embarras.

— Elle ne plaira pas à votre tante.

— Croyez-vous que je l'ignore ? lança-t-il après une hésitation en étouffant un gémissement d'exaspération. Comment ce malheureux mouchoir de poche envahi de gadgets pourrait-il lui plaire ? Ce n'est pas la cuisine de l'Ermitage, je suis le premier à en convenir.

— Alors pourquoi avez-vous acheté cette maison ?

— Pourquoi ? Il fallait bien trouver une solution ! La situation est invivable. Je suis écartelé entre Sylvia et tante Elaine. Elles vont me rendre fou.

Se raidissant contre la douleur qu'elle s'infligeait elle-même, Jane suggéra d'une voix lasse :

— Epousez donc Sylvia et tout s'arrangera.

Nick haussa les sourcils.

— Que dites-vous ?

Patiemment, Jane réitéra son conseil :

— Mariez-vous, mettez votre tante devant le fait accompli, et elle sera obligée de s'incliner. Tant que vous hésitez, elle peut espérer que vous renoncerez finalement à ce mariage. Il faut lui ôter l'espoir et elle acceptera la situation.

Nick réfléchissait. Au bout de quelques instants, il accorda d'une voix traînante :

— Vous avez raison. C'est ainsi que je dois agir.

Jane s'étonna de le voir si sombre alors que cette perspective aurait dû le réjouir.

Il se tenait devant elle, la fixant d'un air songeur.

— Vous comprenez très bien les choses, Jane. Vous êtes calme, vous êtes douce, et...

Tandis qu'il parlait, ses doigts descendirent le long de sa joue, lentement, délicatement, puis se promenèrent sur son cou. Aussi légère qu'elle fût, cette caresse répandit du feu dans les veines de Jane et fit vibrer ses nerfs comme les cordes d'une harpe.

Durant quelques secondes, le reste du monde cessa d'exister. Nick la regardait toujours de ses yeux clairs, un peu déroutants, et elle le regarda aussi, sans même penser à dissimuler ses émotions. Inconsciemment, elle s'approcha de lui, les lèvres entrouvertes.

Quand Nick se pencha sur elle, elle les lui offrit. Ils allaient s'embrasser, poussés non pas par une passion violente, mais par la découverte mutuelle d'une tendresse qui tissait entre eux des liens invisibles.

C'est alors que le reste du monde se rappela à eux. Le visage de Nick se figea en une expression stupéfaite. Il se passa la main sur le front comme s'il sortait d'un rêve et recula en laissant tomber ses bras le long de son corps.

— Mon Dieu, un peu plus et je recommençais ! Vous êtes trop jolie, Jane ! Evitons ce genre de tête-à-tête dorénavant, sinon je ne pourrai plus me permettre de porter des jugements sévères sur Jimmy !

Le petit rire dont il ponctua ses propos manqua de naturel et il ajouta :

— Rentrons, si vous le voulez bien.

Mme Butler guettait leur retour avec impatience.

— Punch a disparu, leur annonça-t-elle.

— Depuis quand ? s'enquit Nick qui partagea immédiatement son inquiétude.

— Depuis ce matin. J'ai d'abord cru que Jane l'avait emmené avec elle à Malden.

— Je ne l'aurais pas emmené sans vous le dire, rétorqua la jeune fille.

— Non, bien sûr, c'est ce que j'ai pensé ensuite. Je ne suis vraiment pas tranquille. S'il fait une escapade, Punch revient toujours à l'heure du repas. Il est même le premier à accourir dès que j'appelle.

La vieille dame posa sur Nick un regard désolé.

— Où peut-il bien être ?

— Avez-vous téléphoné à la ferme ?

— Ils ne l'ont pas vu de la journée, déclara Mme Butler sur un ton angoissé.

— Bon, je vais me changer et je pars à sa recherche, décida Nick.

— Moi aussi, affirma Jane.

— Et votre dîner ? lança Elaine aux deux jeunes gens qui montaient déjà l'escalier quatre à quatre.

— Il attendra, répliqua Nick du haut des marches.

A peine cinq minutes plus tard, il retrouvait Jane. Tous deux avaient revêtu un jean et un pull-over.

— Venez, fit Nick en se munissant d'une lampe torche. Et ne vous éloignez pas de moi. Je ne tiens pas à vous perdre aussi.

— Je ne risque rien, rétorqua Jane avec orgueil.

— Croyez-vous ? Vous ne connaissez pas encore suffisamment les lieux. Vous n'aimeriez pas tomber dans un fossé, je suppose. Nous allons commencer par nous rendre à la ferme, puis s'il n'y est pas, nous irons vers la rivière.

— Vers la rivière ! s'exclama Jane malgré elle.

Elle se représentait soudain le pauvre chien se débattant en vain dans les eaux glacées qui l'entraînaient impitoyablement.

S'arrêtant, Nick se retourna et revint vers elle. Il lui passa un bras autour des épaules, l'attirant plus près de lui, et déclara :

— Ne vous affolez pas, Miss Fox. Punch a toujours de la chance. Je suis prêt à parier qu'il est en train de dormir dans un coin de la ferme après avoir mangé comme un roi.

Jane laissa cette vision chasser la précédente et elle éclata de rire.

— Vous avez probablement raison !

Côte à côte, Nick et elle s'enfoncèrent dans une obscurité totale. La lune s'était cachée derrière les nuages et aucune étoile ne brillait dans le ciel. Seule la lampe de Nick projetait un halo de clarté devant eux. Le vent gémissait dans le feuillage des arbres et quand un cri sinistre résonna au loin, Jane fit un bond de frayeur.

— Dominez-vous un peu ! lança Nick avec irritation.

— Qu'était-ce ? demanda-t-elle.

— Une chouette en train de chasser, je pense.

— Chasser ! fit-elle en écho, d'une toute petite voix.

— Vous êtes trop sensible, déclara Nick. Ne prenez pas tout tellement à cœur si vous ne voulez pas souffrir.

Elle ne répondit pas. Etait-elle trop sensible ? Elle évoqua Sylvia, son assurance, son égoïsme. Mais Sylvia n'était-elle pas totalement fermée à certains aspects de la vie ? Mieux valait être trop sensible que vide et stérile comme elle.

Un instant plus tard, Jane se reprochait sa sévérité. De quel droit jugeait-elle Sylvia vide et stérile ? En se posant la question, elle revit la jeune fille en pensée, s'adressant à Mme Butler sur un ton condescendant, ou prenant de grands airs envers Helen et elle-même. Certes, le comportement de Sylvia ne plaidait pas en sa faveur.

A plusieurs reprises, Jane trébucha sur des taupinières. Si Nick ne l'avait pas retenue, elle serait tombée.

— Continuez sans moi, je me débrouillerai, suggéra-t-elle par embarras au bout d'un moment.

— Vous vous débrouillez très bien, en effet ! ironisa-t-il avec irritation.

Ils arrivèrent enfin à proximité de la ferme dont les lumières facilitèrent leur progression. Jimmy les accueillit avec un sourire qui s'effaça dès qu'il apprit le motif de leur visite.

— Je pensais qu'il était rentré, déclara-t-il. Nous ne l'avons pas vu, ni avant, ni après le coup de téléphone d'Elaine.

— Commençons par fouiller les granges, suggéra son père. Nous avons pu l'enfermer sans nous en apercevoir.

— Oui, commençons par là, approuva Nick.

Ils repartirent à quatre cette fois, en appelant Punch. Les chiens de la ferme leur répondirent, mais les aboiements caractéristiques de Punch ne se mêlèrent pas aux leurs.

Après avoir exploré les alentours durant plus d'une heure, ils durent se résigner à abandonner les recherches. Jimmy et son père regagnèrent la ferme tandis que Nick et Jane reprenaient le chemin de l'Ermitage.

Mme Butler les attendait sur le seuil et son visage

s'assombrit quand elle nota l'absence du chien à leurs côtés.

— Peut-être est-il monté dans une voiture. Vous savez combien il aime se faire promener ! lança Nick en tentant de détendre l'atmosphère avec une pointe d'humour. Qui est venu ce matin ?

— Personne à part Sylvia, répondit Mme Butler.

Ne perdant pas une seconde, Nick se dirigea vers le téléphone. Quand il réapparut, il arborait une expression mécontente que sa tante ne manqua pas de noter.

— Non, Sylvia ne l'a pas vu, annonça-t-il.

— Eh bien, il ne nous reste plus qu'à espérer, soupira Mme Butler. Jane, allez prendre un bain. Et vous aussi, Nick. Vous ne pouvez pas venir à table dans cet état.

Ils acquiescèrent et Jane se plongea la première avec délice dans l'eau chaude et parfumée. Elle sentit son corps se détendre peu à peu tandis qu'elle réfléchissait. Nick s'était-il disputé avec Sylvia durant leur bref entretien téléphonique ?

Elle sortit de la baignoire au bout d'un long moment et revêtit la robe de chambre rose que Helen l'avait persuadée d'inclure dans ses achats. Lorsqu'elle quitta la salle de bains, elle trouva Nick dans le couloir où il trépignait d'impatience.

— Mais que faisiez-vous ? s'écria-t-il, exaspéré. J'étais sur le point d'enfoncer la porte !

Les joues rouges et le sourire aux lèvres, Jane le dépassa sans répondre, arborant sans s'en rendre compte un air coquin.

— Ah ! les femmes ! s'exclama-t-il derrière elle tandis qu'elle entrait dans sa chambre.

Elle entendit ensuite l'eau couler bruyamment des robinets qu'il avait ouverts à fond.

Quand elle redescendit, Mme Butler l'accueillit avec des compliments enthousiastes.

— Et vous avez même changé de coiffure ?

— Celle-ci vous plaît-elle ? s'enquit Jane.

— Beaucoup. Vous êtes ravissante. N'est-ce pas, Nick ? lança-t-elle par-dessus son épaule.

Jane n'osa pas regarder l'architecte. Son cœur battait à tout rompre dans sa poitrine, mais elle feignit de n'accorder aucune importance à son avis.

— C'est une coiffure seyante, accorda-t-il.

— Seyante ! répéta Mme Butler sur un ton de reproche. Oh Nick, êtes-vous aveugle ?

— Non, je ne suis pas aveugle, répliqua-t-il après une seconde d'hésitation.

Et soudain il ajouta d'une voix tout autre :

— Je ne suis pas sourd non plus. Je viens d'entendre Punch aboyer.

Il se figea et ses compagnes l'imitèrent. Tous trois tendirent l'oreille. Un gémissement étouffé leur parvint.

— Il est en haut, déclara Nick en se précipitant vers l'escalier.

Mme Butler et Jane le suivirent. Les faibles plaintes de Punch les guidèrent jusqu'au grenier.

— Je suis monté ce matin, j'ai dû l'enfermer sans m'en apercevoir, expliqua Mme Butler.

— Mais où est-il ? lança Nick en fouillant du regard la pièce poussiéreuse où s'entassaient des coffres et des objets de toutes sortes.

Tout à coup une vieille couverture fut prise de soubresauts et la tête du pauvre animal apparut. Se dégageant avec difficulté de l'étoffe dans laquelle il s'était roulé, il se traîna jusqu'à son maître en poussant de petits cris de joie.

— Il est malade ! s'écria Nick. Qu'y a-t-il, mon gentil chien ?

— Je vais appeler le vétérinaire, suggéra Jane en quittant le grenier à la hâte.

Un quart d'heure plus tard, celui-ci arrivait et examinait Punch.

— Votre chien a été empoisonné, déclara-t-il. Par chance, il a régurgité la plus grande partie du poison, et il a dormi pendant que le reste agissait. Je le crois hors de danger mais par prudence, je l'emmène avec moi afin de le garder sous surveillance.

— Je vous accompagne, proposa aussitôt Mme Butler.

— C'est inutile, chère Madame. Je vous conseillerais plutôt de passer les lieux au crible, au cas où il y aurait encore de ce poison quelque part. D'autres animaux risquent de connaître le même sort.

— De quelle sorte de poison s'agit-il ? s'enquit Nick.

— Je ne saurais vous le dire. Les chiens mangent tout ce qu'ils trouvent.

Le lendemain, à la lumière du jour, Mme Butler découvrit le produit incriminé. Un peu d'herbicide était tombé sur le sol de la serre, et la vieille dame devint très pâle.

— Je suis la fautive ! s'exclama-t-elle sur un ton désolé.

— Vous avez sans doute oublié de reboucher le flacon et Punch l'a fait tomber, déclara Nick. Mais ne vous tourmentez pas, tante Elaine. Cela peut arriver à n'importe qui.

— Un peu plus et il mourait à cause de moi !

S'efforçant de réconforter sa tante, Nick lança :

— D'après le vétérinaire, il n'a certainement plus l'intention de mourir maintenant, sinon pourquoi aurait-il pris la peine de dépasser la période critique ?

— Ne plaisantez pas avec un sujet aussi grave, Nick ! protesta Elaine, les larmes aux yeux.

— Je ne devrais pas plaisanter, vous avez raison. Mais ne dramatisez pas quant à vous. Punch est vivant, rassurez-vous.

Entourant les épaules de la vieille dame de son bras, Jane l'entraîna gentiment vers la cuisine.

— Venez, nous allons prendre le thé, puis nous rendrons visite à Punch chez le vétérinaire.

— Je n'utiliserai plus jamais d'herbicide, murmura-t-elle pour elle-même d'une voix tremblante. C'est vraiment trop dangereux.

— Vous n'en aurez plus besoin de toute façon. Dorénavant, je me chargerai d'arracher les mauvaises herbes, annonça Jane. Je ne suis pas dangereuse moi !

A ces mots, Mme Butler ne put s'empêcher d'éclater de rire, et, se tournant vers Nick qui les suivait, Jane surprit son sourire. Il était soulagé de voir sa tante se détendre enfin.

— Voulez-vous faire chauffer de l'eau ? lui demanda Jane, s'efforçant toujours de distraire la vieille dame de ses sombres pensées.

Se tournant ensuite vers elle, elle déclara aimablement :

— En attendant que le thé soit prêt, nous devrions nourrir les chatons, madame Butler. Ils semblent impatients de boire un peu de lait.

— Pourquoi ne m'appelez-vous pas tante Elaine ? s'enquit son interlocutrice. Je vous l'ai déjà offert à maintes reprises.

— Jane est timide, glissa Nick sur un ton taquin.

Se sentant rougir, celle-ci lança sévèrement, dans le but de se donner une contenance :

— Remplissez donc la bouilloire !

Nick éclata de rire.

— Comment puis-je supporter toutes ces femmes qui me tyrannisent ? Je me le demande !

— Vous les supportez très bien, assura Mme Butler avec un sourire énigmatique.

6

Assise dans un fauteuil de jardin, Sylvia avait adopté une pose langoureuse qui mettait en valeur sa silhouette souple et féminine. Elle leva soudain son joli visage encadré de cheveux blonds vers Nick et lui sourit.

— Vous viendrez à la soirée que je donne la semaine prochaine, n'est-ce pas ? J'espère bien que vous ne vous laisserez pas retenir par votre travail au dernier moment. Si le temps le permet, nous dînerons dehors.

— Rien ne me retiendra, affirma distraitement Nick.

Il regardait les chiens qui arrivaient en courant, Patch en tête. Joyeux, ils exécutèrent toutes sortes de bonds autour de lui afin d'attirer son attention. Attendri, Nick les caressa et leur prodigua des paroles d'affection. Mais lorsqu'ils s'approchèrent de Sylvia, celle-ci esquissa une moue de dégoût.

— Dites-leur de se coucher, Nick, je ne veux pas qu'ils me touchent !

L'architecte ne répondit pas. Le ton sec de sa fiancée l'avait surpris et il la considérait en fronçant les sourcils.

Inconsciente de sa réaction, Sylvia ajouta avec dédain :

— Le tissu de mon ensemble est très fragile. Il ne faudrait pas qu'ils y mettent leurs poils.

— Assis ! ordonna fermement Nick aux deux chiens

en les attrapant l'un après l'autre par leur collier pour les obliger à obéir plus vite.

Examinant son pantalon d'un air outré, Sylvia ne s'inquiéta pas du silence de Nick qui se prolongeait pourtant tandis qu'il l'étudiait avec une sévérité inaccoutumée.

Jane sortit à cet instant de la maison, le visage rayonnant. Se précipitant vers Nick, elle lui cria bien avant de l'avoir rejoint :

— Le vétérinaire vient de téléphoner. Punch peut rentrer à l'Ermitage !

— Voilà une bonne nouvelle ! s'exclama Nick dont les traits s'illuminèrent aussi. Merci de m'avoir prévenu tout de suite. Qu'avez-vous fait ce matin, Jane ?

— La toilette des ânes ! répliqua-t-elle en éclatant de rire. Quand ils ont consenti à rester tranquilles, évidemment. Leur pelage devient très beau. Il a changé depuis mon arrivée. Le repos et la bonne nourriture font des miracles.

Sylvia se redressa, affichant une expression excédée. Posant un regard hostile sur Jane, elle nota :

— Vous portez encore ce vilain jean ! Décidément, vous êtes incorrigible !

Tant de mépris choqua à nouveau Nick qui considéra sa fiancée avec un mélange de désapprobation et d'incrédulité. Occupée à observer Jane qui s'était mise à genoux pour câliner Patch et Poppy celle-ci ne s'apercevait toujours de rien.

Ne se souciant même plus de dominer un tant soit peu sa répugnance, elle lança d'une voix aigre :

— Tenez-les bien ! Je ne supporterais pas qu'ils m'approchent.

— Je vais les emmener avec moi, répondit Jane le plus calmement du monde.

Elle s'était relevée quand Sylvia s'exclama durement :

— Vous faites bien ! Tant que vous y êtes, apportez-nous donc de la citronnade, je meurs de soif. Et n'oubliez pas les glaçons.

— Jane n'est pas une domestique, glissa Nick dont le visage s'empourpra d'indignation cette fois.

Sylvia se figea instantanément et une lueur de perplexité passa dans ses yeux.

— Vous l'avez pourtant bien engagée pour travailler chez vous, n'est-ce pas ? lança-t-elle sur un ton radouci et innocent.

Très sec, Nick rétorqua :

— Elle est ici à titre de secrétaire, et non de servante. En outre, nous sommes samedi. Elle a droit à son week-end comme tout le monde.

D'une blondeur lumineuse dans ses vêtements bleu roi, Sylvia évoquait soudain un animal mis en alerte par la perception d'un danger. Comme si elle avait trouvé une parade, elle se tourna lentement vers Jane avec un sourire hypocrite.

— J'allais oublier de vous transmettre un message de la part de Jimmy Withney. Il aimerait sortir avec vous ce soir. Si vous ne lui téléphonez pas pour décommander le rendez-vous, il passera à sept heures. Vous lui feriez plaisir en étrennant pour l'occasion votre plus belle robe.

Du coin de l'œil, Jane vit l'expression de Nick se durcir et elle partit le cœur serré, devinant qu'il la suivait d'un regard furieux.

Sylvia les observa l'un et l'autre, sans toutefois trahir ses pensées. Se contrôlant enfin parfaitement, elle arborait une mine agréable et détendue.

Dès que Jane eut disparu à l'intérieur de la demeure, Nick annonça :

— Je vais aller chercher Punch. Je vous emmène.

Son ton manquait singulièrement d'enthousiasme, mais Sylvia se garda du moindre commentaire. Se levant, elle s'étira avec coquetterie et emboîta le pas à son fiancé. Elle resta dans la cuisine pendant que Nick montait prendre ses papiers et ses clés de voiture. Mme Butler était en train de couper de la viande pour les chiens et elle l'accueillit avec une moue hostile. Piétinant d'impatience, la jeune fille feignit de l'ignorer.

Lorsque l'un des chiens s'approcha d'elle, elle le repoussa, sans parvenir à le décourager pour autant. Excédée, elle le chassa alors avec son pied.

— Veuillez ne pas donner de coups de pied à mes chiens ! s'écria Mme Butler, blême de rage.

— Je ne leur en donnerais pas si vous les gardiez auprès de vous ! Je ne vois pas pourquoi je devrais supporter vos animaux à chacune de mes visites.

— Personne ne vous oblige à venir.

— Oh, je sais que vous seriez ravie de ne plus me voir ! Je suis désolée pour vous, mais je reviendrai, malgré ces maudites bêtes. Je ne m'étonne pas que quelqu'un vous en ait empoisonnée une. Souvent, j'ai eu envie de le faire moi-même.

Avec un profond cynisme, Sylvia étudiait l'effet de ses propos sur son interlocutrice. Les traits de Mme Butler revêtirent une expression de haine et d'horreur.

Entendant Nick descendre l'escalier, Sylvia abandonna la vieille dame en lui décochant un dernier sourire de triomphe.

— Je la déteste ! Je la déteste ! marmonna Mme Butler pour elle-même.

Nullement émus par la scène, les chiens regardaient avec intérêt la viande qu'elle finissait de leur préparer.

Lorsque Nick revint avec Punch, une heure plus tard, sa tante nota sa mine sombre et contrariée.

— Où est Sylvia ? s'enquit-elle.

— Je l'ai déposée chez elle.

Il s'était exprimé sur un ton si maussade que Mme Butler n'osa pas l'interroger davantage. Une lueur de satisfaction passa toutefois dans ses yeux. Cette mauvaise humeur n'était pas pour lui déplaire.

Jane s'arrêta un instant de tourner une sauce pour le

dîner afin d'assister avec attendrissement au retour de Punch. Il était difficile de déterminer qui, de la vieille dame ou du chien, éprouvait le plus de plaisir à retrouver l'autre.

Après avoir reçu mille caresses de Mme Butler, Punch vint solliciter Jane qui abandonna sa tâche pour s'agenouiller à côté de lui.

— A la manière dont vous le traitez toutes les deux, ne vous étonnez pas s'il se prend pour le centre du monde ! grommela Nick, mais son intonation dissimulait un vif amusement et beaucoup d'émotion.

Goûtant la sauce de Jane, il ajouta avec désinvolture :

— Alors il paraît que vous sortez avec Jimmy ce soir ?

A ces mots, Mme Butler leva la tête.

— Est-ce vrai, Jane ?

Elle acquiesça, non sans s'irriter de se sentir rougir.

— A moins que vous ayez besoin de moi, lança-t-elle sur un ton où perçait un léger espoir.

Elle n'aurait pas demandé mieux que de pouvoir appeler Jimmy et annuler leur rendez-vous sous un prétexte ou un autre. Son orgueil lui interdisait en revanche de rester à l'Ermitage sans motif. Elle ne voulait pas avoir l'air de céder aux pressions de Nick.

Hélas, Mme Butler arbora sa mine la plus aimable pour déclarer :

— Sortez donc, mon petit, et amusez-vous, c'est de votre âge.

Une pointe de malice perçant dans son intonation, elle ajouta :

— Vous ne voyez pas d'inconvénient à ce que Jane sorte ce soir, n'est-ce pas, Nick ?

Gardant les yeux baissés, Jane attendit sa réponse... en vain. Un bruit de pas lui indiqua soudain qu'il quittait la cuisine.

Réprimant difficilement une envie d'éclater de rire, Mme Butler s'exclama :

— Nick se comporte d'une manière bien étrange ! Je parie qu'il s'est disputé avec Sylvia.

Une querelle ! A quel propos ? se demanda Jane. Elle se souvint avec embarras de l'expression sévère et désapprobatrice de Nick dans le jardin. Il s'était montré très mécontent de la manière dont Sylvia s'était conduite envers elle. Tant de mépris avait choqué cet homme juste et bon. Jane se désolait à l'idée d'être éventuellement une cause de discorde entre sa fiancée et lui.

Un peu plus tard, pendant qu'elle se changeait, Nick et sa tante entamèrent une partie de dominos dans une atmosphère de gaieté et de décontraction.

— Vous trichez ! s'écria soudain Nick. Je vous y prends une fois de plus !

— Voyons, je ne triche pas ! Pardonnez-moi si je suis distraite. Mon cher enfant, je me fais vieille, que voulez-vous ?

Tous deux étaient si absorbés qu'ils ne remarquèrent pas Jimmy Whitney sur le seuil de la pièce. Au bout de quelques instants, il toussa pour attirer leur attention. Surpris, ils le regardèrent alors comme une apparition.

— J'ai frappé, mais vous ne m'avez pas entendu, murmura-t-il en guise d'excuse.

— Que vous êtes élégant ! s'exclama Mme Butler avec un grand sourire.

Superbe en effet dans son costume sombre et sa chemise d'une blancheur éblouissante, Jimmy lui rendit son sourire en la remerciant du compliment.

Nick ne disait mot pour sa part, aussi lui lança-t-il gaiement :

— Bonsoir, Nick, comment allez-vous ?

Négligeant de répondre, il rétorqua sur un ton lourd de menaces :

— N'oubliez pas ma mise en garde.

Et sur ces paroles, il sortit précipitamment, ses talons claquant avec bruit sur le carrelage.

— Que se passe-t-il ? s'enquit Mme Butler avec un mélange d'étonnement et d'amusement.

Jimmy haussa les épaules, l'air perplexe.

— Je ne comprends pas. Il veille sur Jane comme s'il s'agissait de sa propre fille, et comme si elle avait quinze ans par-dessus le marché ! Je ne suis pourtant pas Barbe Bleue ! Il m'est arrivé d'avoir quelques problèmes avec certains parents, mais jamais encore avec un employeur.

A ces mots, Mme Butler rit de bon cœur.

— Jane est encore très jeune et elle a mené une vie si protégée jusqu'à maintenant que Nick se sent un peu responsable d'elle.

— Mais je n'ai pas l'intention de l'enlever ! Je l'emmène simplement au restaurant, déclara Jimmy. Nick n'avait vraiment pas de raison de venir faire un scandale à la ferme ce matin.

— Vous avez vu Nick ce matin ! s'exclama Mme Butler.

— L'ignoriez-vous ?

— Il ne m'en a pas parlé, fit la vieille dame en se laissant s'en aller contre le dossier de son fauteuil.

Elle souriait, et ses yeux bleus brillaient d'un éclat si vif qu'ils démentaient ses soixante-dix ans.

— Nick voulait sans doute me montrer qu'il est le maître ici, suggéra Jimmy.

— Voyons, vous le connaissez ! Ce n'est pas son genre.

— Mais celui de Sylvia, affirma le jeune homme, et elle l'incite certainement à s'imposer davantage.

— En dépit de tous ses efforts, Nick ne changera pas sur ce point. Il est la simplicité même et vous le savez, soutint Mme Butler.

Obligé d'acquiescer, Jimmy répliqua toutefois :

— Il est pourtant venu ce matin m'avertir que j'aurai affaire à lui si je me conduis mal avec Jane. Il m'a tant et si bien accablé de reproches que j'en étais démoralisé.

J'avais l'impression d'être un monstre dévoreur de jeunes filles !

— Vous êtes-vous défendu ? s'enquit Mme Butler avec curiosité, et en dissimulant sa satisfaction.

— Je lui ai répondu que je n'avais pas de leçon à recevoir de lui. Je me souviens très bien de l'époque où il était notre Don Juan local. Quand il brisait tous les cœurs avant de se fiancer avec Sylvia, aurait-il accepté que quelqu'un se mêle de ses affaires ?

— Il était donc très fâché ce matin, glissa Mme Butler.

— Fâché ! Il était furieux !

La vieille dame semblait de plus en plus contente.

— Comme c'est curieux !

Jimmy la considéra en fronçant les sourcils.

— C'est curieux, en effet.

Il allait poursuivre quand Jane apparut dans la pièce, souple et délicieuse dans sa robe verte, sa chevelure soyeuse ondoyant autour de son visage. Sa nature franche, spontanée et agréable se lisait sur son visage.

— Bonsoir ! lança Jimmy en prenant ses mains entre les siennes. Vous avez changé !

— En mieux ? s'enquit-elle, la mine rieuse.

— Sans aucun doute, affirma-t-il.

Mme Butler la détaillait avec une admiration évidente et, ravie de l'effet qu'elle produisait, Jane lui demanda :

— Comment me trouvez-vous ainsi ?

— Eblouissante, absolument éblouissante. Cette robe vous va à merveille. Vous êtes toujours charmante, même en jean et en pull, mais cette tenue vous rend exquise.

— Oui, exquise, il n'y a pas d'autre mot ! renchérit Jimmy.

Dans un élan d'affection, Jane embrassa la vieille dame, puis déclara :

— Je ne rentrerai pas tard, je vous le promets.

— Oubliez l'heure pour une fois, lui offrit gentiment Mme Butler. Amusez-vous, mon enfant.

Les deux jeunes gens ne virent pas Nick avant de quitter la maison. Toutefois, lorsqu'elle fut assise dans la voiture de Jimmy et qu'elle se retourna, Jane l'aperçut à la fenêtre d'une pièce du premier étage.

— J'ai réservé une table dans mon restaurant favori, j'espère qu'il vous plaira aussi, déclara son compagnon.

— Où se trouve-t-il ?

— A une heure d'ici. C'est un endroit très réputé. On peut y danser après le repas. L'orchestre est excellent et le personnel sympathique.

Un peu effrayée, Jane abaissa les yeux sur sa robe.

— Suis-je assez bien habillée pour ce genre d'établissement ?

— Vous êtes parfaite. On y voit d'ailleurs toutes sortes de toilettes. Chacun s'y sent très libre, l'ambiance est tout à fait décontractée.

— Tant mieux, fit Jane en se calant plus confortablement dans son siège avec un soupir.

Ils roulèrent un moment en silence, puis Jimmy jeta un coup d'œil à sa passagère et lui demanda :

— A quoi pensez-vous ?

— A Sylvia, répondit-elle spontanément.

Elle s'empourpra ensuite, mais Jimmy ne remarqua pas sa confusion.

— C'est drôle, moi aussi ! lança-t-il. Je serais curieux de savoir ce que vous lui avez fait.

— Que voulez-vous dire ? s'enquit Jane sans comprendre.

— Lorsque je lui ai demandé de vous rappeler notre rendez-vous, je désirais seulement voir sa réaction. Un simple mortel comme moi ne doit pas prendre Miss Sylvia pour sa messagère ! Le résultat a dépassé mes prévisions, je l'avoue. Elle est entrée dans une colère noire. Elle vous déteste.

Après un bref silence, Jimmy ajouta :

— Je voudrais bien savoir pourquoi.

— Je crois que vous exagérez, déclara Jane.

Le jeune homme secoua la tête.

— Non, non. Sylvia me méprise assez pour ne pas prendre la peine de se contrôler devant moi. Elle réserve ses comédies à Nick. Que lui avez-vous fait, Jane ?

— Rien.

Elle eut beau se montrer très ferme, Jimmy insista :

— Allons ! Sylvia a beaucoup de défauts, mais elle n'est pas folle. Elle ne s'est certainement pas emportée pour rien. Peut-être n'apprécie-t-elle pas votre présence à l'Ermitage.

Cette supposition formulée sur un ton léger amena une nouvelle vague de rouge sur les joues de Jane.

— Pardonnez-moi, j'ai l'impression de m'être mêlé de ce qui ne me regardait pas. En tout cas, si je peux me permettre de vous donner un avis : méfiez-vous de Sylvia. Elle est dangereuse.

— Votre imagination vous égare ! lança Jane d'une façon qu'elle voulut désinvolte alors que son cœur battait très fort.

Désireuse de changer de sujet, elle s'empressa d'enchaîner :

— Comment va votre père ?

Nullement dupe, Jimmy sourit. Il eut toutefois pitié d'elle et répondit à sa question. Ils n'évoquèrent plus Sylvia durant le dîner et, après avoir dégusté un repas très fin dans un décor élégant, ils dansèrent un moment.

Très vite, Jane se sentit lasse. La musique, l'éclairage violent des spots et le va-et-vient des gens autour d'elle l'avaient fatiguée. Elle n'était pas accoutumée à ce genre de soirée et elle commençait à étouffer dans la salle mal aérée.

Voyant sa mine s'altérer de seconde en seconde, Jimmy nota gentiment :

— Vous êtes en train de dépérir. Se fait-il tard pour vous ? Aimeriez-vous rentrer ?

Elle lui adressa un sourire embarrassé.

— Je suis désolée, mais j'ai l'habitude de me coucher tôt. Je suis une piètre cavalière.

— Ne vous inquiétez pas, déclara-t-il en haussant les épaules. Moi aussi, je me couche tôt, car le travail commence dès l'aube à la ferme. Aussi, en dépit du jugement sévère que Nick porte sur moi, je suis en général dans mon lit vers dix heures.

En sortant du vestiaire quelques instants plus tard, Jane eut la surprise de découvrir Sylvia. Elle lui tournait le dos et discutait avec l'homme élégant et distingué que la jeune fille avait vu dans sa voiture le jour où elle s'était rendue à Malden.

Elle vit ensuite Jimmy qui considérait le couple avec une curiosité évidente. Quand elle le rejoignit, il lui montra les arrivants d'un geste en murmurant :

— Eh bien, eh bien, voici une énigme !

Comme Jane prenait un air étonné, il ajouta :

— Je ne m'attendais pas à voir Sylvia en compagnie de Sir Rodney Ashton.

— Ashton ?

Le nom éveilla une vague résonnance chez Jane. Songeuse, elle suivit des yeux Sylvia et son cavalier qui se dirigeaient vers une table ornée d'un immense bouquet de fleurs roses et mauves. Rehaussée par une robe blanche d'une simplicité presque austère, la beauté blonde de Sylvia atteignait une nouvelle dimension. Une émeraude suspendue à une chaîne en platine brillait sur sa poitrine, rappelant la couleur du regard lumineux qu'elle levait sur Sir Rodney.

— Il est amoureux fou ! s'exclama Jimmy à mi-voix. Que va faire Sylvia ?

De plus en plus perplexe, Jane lui demanda des explications.

— Rodney Ashton est le roi de l'électronique. Il ne possède pas moins de trois usines dans la région, une demeure somptueuse, sans compter son domicile londonien. Sylvia a toujours rêvé d'épouser un homme comme lui.

La stupéfaction de Jane augmenta encore sous l'effet de ces paroles.

— Que va-t-elle faire ? répéta Jimmy. Sir Rodney est à la tête d'une immense fortune, mais il lui manque le charme de Nick et sa jeunesse. Sylvia aimerait certainement gagner sur tous les tableaux.

Observant l'homme qui s'était assis en face de la fiancée de Nick, Jane lui trouva un sourire agréable. Sylvia semblait le fasciner. En était-il amoureux fou comme le prétendait Jimmy ? Jane en acquit très vite la conviction. Sylvia dévoilait moins ses sentiments en revanche. Elle s'entendait à donner à son compagnon l'impression que lui seul existait pour elle. Elle lui destinait tous ses regards, tous ses sourires. Son attitude trahissait un mélange de complaisance et de coquetterie et, pour mieux le séduire probablement, elle mettait l'accent sur son âge, jouant habilement à la petite fille aux allures sophistiquées. Mais ce qu'elle pensait et éprouvait vraiment restait un mystère.

Jane la connaissait cependant suffisamment à présent pour ne pas se laisser abuser par des apparences. Sylvia incarnait son personnage de jeune femme subjuguée par le prestige de Sir Rodney avec un art consommé d'actrice. Il ne s'agissait toutefois que d'un rôle de composition. Aussi brillante que fût Sylvia, Jane lisait à livre ouvert dans son esprit et dans son cœur.

— Elle n'est pas amoureuse, déclara-t-elle à Jimmy. Celui-ci éclata de rire.

— Que vous êtes naïve, Jane ! Elle n'est pas amoureuse, évidemment ! Pourquoi voudriez-vous qu'elle le soit ?

— Elle est bien amoureuse de Nick ! protesta-t-elle, chaque mot lui coûtant un effort.

Elle regrettait d'avoir abordé ce sujet, mais force lui fut d'aller jusqu'au bout de son idée :

— Nick l'attire en tout cas, pour lui-même et pas uniquement à cause de son argent.

— Oui, le problème se pose même pour notre implacable Sylvia : il va lui falloir choisir entre un homme qui lui plaît et un homme encore plus riche.

Passant un bras autour des épaules de Jane, Jimmy l'entraîna hors du restaurant et, comme il la voyait se rembrunir, il poursuivit :

— Ne désespérez pas, Jane ! Sir Rodney n'est pas aussi séduisant que Nick, mais au moins dix fois plus riche.

— Que m'importe ! rétorqua la jeune fille, se mettant sur la défensive.

— Je suis votre allié, vous savez, affirma Jimmy contre toute attente. J'ai un compte à régler avec Sylvia.

— Ah ? fit-elle, tandis qu'il lui ouvrait la portière de sa voiture.

— Je n'existe pas pour elle, ne l'oubliez pas. Jamais une femme ne m'a infligé une humiliation aussi cuisante ! lança-t-il avec humour.

Très amusée, Jane lui répondit sur le même ton :

— Elle ne sait pas ce qu'elle perd !

Jimmy était en train d'effectuer une marche arrière afin de sortir du parking. S'arrêtant au beau milieu de la manœuvre, il déclara :

— Je ne vous conseille pas de tenir ce genre de propos devant Nick.

— Pourquoi pas ? s'enquit-elle, à la fois contrariée et embarrassée.

— C'est un simple conseil, affirma laconiquement Jimmy.

7

Il était minuit lorsque Jimmy ramena Jane à l'Ermitage. Le vent soufflait dans le feuillage des arbres, de part et d'autres de l'allée, quelques étoiles brillaient dans le ciel. Aucune lumière n'était allumée dans la maison et Jane n'en conçut nulle surprise, car Mme Butler se couchait toujours très tôt. Elle n'avait pas, pour autant, eu besoin d'emporter la clé, la porte de la cuisine restant toujours ouverte. La méfiance ne s'imposait pas à la campagne comme en ville. Pas un malfaiteur n'aurait osé s'aventurer en ces lieux. D'ailleurs, les chiens, en dépit de leur manque total de méchanceté, n'auraient pas manqué de donner l'alarme.

Connaissant les habitudes de l'Ermitage, Jimmy arrêta sa voiture derrière la demeure. Les yeux de Jane se fermaient d'eux-mêmes, mais elle n'en éprouvait pas moins un réel bien-être. La soirée s'était déroulée d'une façon très agréable et elle goûtait une détente parfaite auprès de Jimmy.

— Vous n'aurez pas besoin de boire une tisane pour vous endormir ! lança-t-il en la considérant avec amusement.

— En voudriez-vous une ? s'enquit-elle poliment.

Le jeune homme secoua la tête.

— Non, je vous remercie. Que s'imaginerait Nick si je rentrais avec vous maintenant ?

Ces paroles réveillèrent la révolte qui couvait en Jane.

— Je vais prendre une tisane, venez donc me tenir compagnie. Ne vous souciez pas de Nick.

— A votre guise, déclara Jimmy en souriant. Ne nous soucions pas de Nick.

La jeune fille mit l'eau à bouillir en discutant avec Jimmy à voix basse afin de ne pas troubler le silence de la maison. Les chiens s'étaient réveillés pour accueillir les deux arrivants puis, très vite, chacun était reparti se coucher dans un coin attitré.

— J'ai passé une excellente soirée. Vous aussi, j'espère ? s'enquit Jimmy.

— Vous le savez bien, affirma Jane. C'était une première pour moi, je n'étais encore jamais allée dans un endroit pareil.

— Nous y retournerons, je vous le promets.

— Il me faudra une robe plus adéquate, décida Jane, et des souliers vernis comme cette jeune fille que j'ai tant admirée. Vous vous souvenez d'elle, n'est-ce pas ?

En parlant, elle déposa une tasse devant son interlocuteur qui lui sourit gentiment.

— Elle n'était pas aussi jolie que vous. Les vêtements ne sont pas tout.

— En tout cas, je dois apprendre à danser, affirma alors Jane.

— Vous n'avez pas besoin d'apprendre. Danser vous est inné.

L'enlaçant, Jimmy commença à fredonner un air et ils virevoltèrent à travers la cuisine, de plus en plus vite, jusqu'au moment où ils s'effondrèrent contre un mur. Jane riait aux éclats, elle avait les joues rouges et les yeux brillants.

— Vous êtes merveilleuse ! s'exclama Jimmy.

Leur expression changea tout à coup, et ils sursautèrent ensemble au son d'une voix furieuse.

— Puis-je savoir à quoi vous jouez à minuit passé ?
Jimmy lâcha brutalement sa cavalière.

— Nick ! lança-t-il, feignant une désinvolture qu'il
était loin d'éprouver. J'allais partir. Bonne nuit, Jane.

Elle n'eut pas le temps de lui répondre car il s'éclipsa
sans demander son reste, refermant prestement la porte
derrière lui.

Jane hésita un instant sur la conduite à adopter.
Devait-elle monter se coucher comme une petite fille
punie ou plutôt braver la colère de Nick ? Elle décida de
rester et, décochant à l'architecte un coup d'œil lourd de
défi, elle prit sa tasse et but tranquillement une gorgée
de tisane.

— Je constate que vous n'avez tenu aucun compte de
mes conseils, déclara Nick, la mine sombre.

— Jimmy me plaît beaucoup, rétorqua-t-elle. Il aime
s'amuser, et alors ? Moi aussi, figurez-vous ! Vous n'y
aviez sans doute pas songé. Se distraire ne constitue pas
un privilège masculin. Les femmes peuvent aussi profi-
ter de la vie.

— Vous voudriez me faire croire que vous profitez de
la vie, que vous collectionnez les admirateurs comme
Jimmy collectionne les admiratrices ! Allons donc !

— Et pourquoi pas ? fit-elle en adoptant une pose
inconsciemment provocante.

Nick s'avança alors vers elle et sa belle assurance
s'effondra aussitôt, son cœur se mit à battre très fort et
sa gorge se noua.

— Méfiez-vous ! Je serais bien capable de vous prendre au mot.

Elle désirait lui répondre sur le même ton, mais les
sons refusaient de passer ses lèvres. La proximité de
Nick, le magnétisme qui émanait de lui la troublaient
trop violemment.

Enfin il s'écarta à nouveau et, s'emparant de la tasse
qu'elle avait préparée pour Jimmy, il lança :

— Vous permettez ?

Il but à peine, puis la regarda gentiment.

— Loin de moi l'intention de jouer les pères abusifs, Jane. Mais vous êtes si jeune encore. Quoi que vous en pensiez, Jimmy Whitney est un habile séducteur. Je désire tout simplement vous épargner une mauvaise expérience.

— Chacun doit faire ses propres expériences, soutint-elle farouchement.

— Très bien, accorda-t-il avec un soupir résigné. Puisque vous vous obstinez, j'abandonne. J'espère seulement que vous ne regretterez pas votre entêtement.

L'air très las soudain, il reposa sa tasse et tourna les talons. Lorsqu'il atteignit la porte de la cuisine, Jane réprima à grand-peine la tentation de le rappeler. Peu lui importait tout à coup de paraître soumise. Elle était prête à promettre de ne plus jamais revoir Jimmy. Et pourtant, il ne le fallait pas. Elle préférait encourir la désapprobation de Nick en continuant à le rencontrer, plutôt que de lui laisser soupçonner les sentiments qu'elle nourrissait à son égard. Tant qu'il la croirait amoureuse de Jimmy, il ne se douterait pas qu'elle s'était éprise de lui.

S'obligeant à conserver son calme, elle termina sa tisane et fit rapidement la vaisselle. Quand elle se décida à quitter la cuisine, les chiens levèrent un instant la tête. Eteignant la lumière, elle les abandonna à un sommeil paisible.

Quant à elle, elle se réveilla à plusieurs reprises au cours de la nuit. Quelqu'un toussait dans la maison, Mme Butler sans doute. A chaque fois, elle tendait l'oreille un moment, réprimant difficilement son inquiétude.

Tout à coup, elle sortit de son lit, enfila sa robe de chambre et alla frapper chez la vieille dame. Celle-ci lui répondit immédiatement :

— Entrez, ma chère, entrez...

Elle était assise, adossée contre ses oreillers. Sa lampe de chevet décrivait un cercle lumineux autour d'elle.

— J'ai entendu tousser. Etes-vous souffrante ? s'enquit Jane.

— J'ai dû prendre froid, déclara-t-elle.

Jane se pencha et posa la main sur son front qu'elle trouva brûlant. Le visage habituellement pâle de Mme Butler était en outre très rouge, et la jeune fille affirma :

— Vous avez un peu de fièvre. Ce temps nous amène des grippes. Il ne fait pas aussi doux qu'il y paraît.

— Ce ne sera rien, affirma Mme Butler.

Au même moment, une nouvelle quinte la secoua pourtant et Jane décida :

— Vous allez rester couchée jusqu'à ce que vous soyez tout à fait rétablie.

— Vous plaisantez ! Je ne suis pas un bébé !

— Montrez-vous raisonnable pour éviter que ce simple coup de froid n'amène des complications. Je ne veux pas que vous tombiez réellement malade.

— Je ne suis pas un bébé, répéta Mme Butler.

— Alors montrez-vous raisonnable, répéta Jane en lui décochant un sourire malicieux. Je vous monterai vos repas, ne vous souciez de rien.

— Il n'en est pas question ! Cette maison n'est pas un hôpital.

— Qui vous parle d'hôpital ? Reposez-vous sans remords. Je ferai volontiers la cuisine pour Nick, et Mme Pepper se chargera du ménage. Tout ira bien, vous verrez.

Mme Butler médita cette proposition un instant, le regard perdu dans le vague. Tout à coup, elle sourit.

— Très bien, mon enfant. Puisque vous insistez ! Etes-vous certaine de pouvoir vous occuper de Nick ?

— Mais bien sûr, répliqua aussitôt Jane.

Et soudain, elle considéra son interlocutrice d'un air soupçonneux. Mme Butler arborait une mine des plus innocentes, mais la lueur rusée qui dansait dans ses yeux bleus l'intrigua. Que tramait la vieille dame ? Pendant que Jane s'interrogeait, elle se laissa aller en arrière contre ses coussins avec un soupir las, puis elle lui demanda :

— Auriez-vous la bonté de m'apporter à boire. Je suis désolée de vous importuner, mais j'ai la gorge si sèche.

— Je vous en prie, je descends immédiatement vous faire chauffer du lait.

Elle revint quelques minutes plus tard avec un grand bol de lait fumant, sucré, et parfumé avec une pincée de noix de muscade.

Mme Butler la remercia avec un large sourire et ne tarda pas à lui rendre le récipient vide en s'exclamant :

— C'était délicieux !

Avant de la quitter, Jane lui arrangea encore ses oreillers, l'aida à s'installer le plus confortablement possible et lui recommanda :

— Conservez cette position et vous tousserez moins.

— Bonne nuit, Jane, et excusez-moi, murmura Mme Butler d'une voix ensommeillée, quand elle se glissa hors de la pièce sur la pointe des pieds.

Nick se tenait dans le couloir, la mine soucieuse. D'un signe, la jeune fille l'invita à garder le silence et il la suivit. Arrivée sur le seuil de sa chambre, elle lui expliqua :

— Votre tante est souffrante.

— Qu'a-t-elle ? Pourquoi ne m'avez-vous pas réveillé ?

Jane lui exposa la situation et il l'écouta avec attention.

— S'agit-il d'un simple coup de froid, en êtes-vous sûre ? s'enquit-il.

Jane hocha la tête.

— Probablement. Mais par prudence, j'ai insisté

pour qu'elle reste couchée quelques jours, et elle a accepté.

A ces mots, Nick fronça les sourcils.

— C'est étrange ! Elle doit être plus malade que vous ne le pensez pour avoir accepté de garder la chambre. Ce sera bien la première fois ! Il faudra appeler le docteur à la première heure demain matin.

— Comme vous voudrez, affirma Jane. Bonne nuit.

Après avoir examiné la vieille dame, le médecin déclara sur un ton encourageant :

— J'aimerais que tous mes patients prennent modèle sur elle. Elle est extraordinaire.

— Est-ce seulement un coup de froid ? lui demanda Nick.

Le médecin jouait avec le stéthoscope qui pendait encore à son cou et répliqua d'une manière évasive :

— C'est peut-être un peu plus grave.

Jane nota qu'il évitait de regarder Nick et elle songea aussitôt à un complot. Mᵐᵉ Butler ne l'avait-elle pas convaincu de proférer un petit mensonge à propos de son état ?

— Est-elle grippée ? lança-t-elle.

Ne la regardant pas non plus, l'homme répondit :

— Je vous le dirai demain. Je reviendrai la voir. En tout cas, elle doit rester couchée. Si elle manifestait le désir de se lever, montrez-vous ferme.

Une fois seul avec Jane, Nick la questionna :

— Etes-vous inquiète ?

— Pas du tout. Vous avez entendu le docteur comme moi, répliqua-t-elle en achevant de disposer un léger déjeuner pour Mᵐᵉ Butler sur un plateau.

— Eh bien, je ne partage pas votre optimisme, annonça Nick. Je connais ce médecin et je lui trouve une attitude bien curieuse. Quant à ma tante, elle me surprend aussi.

Jane souleva le plateau. A côté de la salade composée, de la grillade et des fruits, elle avait mis un peu de lilas dans un petit vase.

— Elle ne mangera pas la grillade, nota Nick à mi-voix tout en réfléchissant.

— Je prends le risque, déclara Jane.

Comme elle se dirigeait vers la porte, il s'empara du plateau en expliquant :

— Je vais le lui monter. Notre repas peut-il attendre ? Je souhaiterais lui parler.

— Je vous appellerai quand nous pourrons passer à table. Ne vous pressez pas.

Après le départ de Nick, Jane s'occupa des plats plus consistants qui cuisaient pour eux deux. L'esprit ailleurs, elle s'affairait avec de petits gestes mécaniques. Le tête-à-tête de Nick et de sa tante l'intriguait. Que pouvaient-ils bien se dire ?

Il fut bientôt une heure et l'architecte ne redescendait toujours pas. De quoi entretenait-il Mme Butler ? Jane lui avait trouvé un air très déterminé lorsqu'il était parti la rejoindre. Soupçonnait-il lui aussi la vieille dame d'exagérer volontairement la gravité de son mal afin de le laisser seul avec Jane ?

Jane se méfiait depuis qu'elle avait vu Mme Butler changer brusquement d'avis la nuit précédente. Cette dernière avait sans doute calculé qu'en restant couchée, elle obligeait Jane et Nick à passer le week-end ensemble. Personne ne risquait de troubler leur intimité forcée. Aucune visite n'était prévue, et Mme Pepper ne devait pas venir avant le lundi matin.

Avec un soupir, Jane se pencha sur le rôti. Tout était prêt et quand elle appela Nick, il apparut bientôt, le plateau à la main. Mme Butler avait mangé la salade, mais repoussé la viande.

— Tout était très bon, mais elle n'a pas d'appétit, déclara Nick en surprenant le regard de Jane.

— L'auriez-vous contrariée par hasard ? lança-t-elle en rassemblant tout son courage.

— Quelle idée ! répliqua Nick, l'air froid et sévère.

Relevant le menton, Jane le considéra avec une expression de défi.

— Vous avez pourtant passé beaucoup de temps avec elle et je parie que vous vous êtes disputés.

— Nos affaires ne vous concernent pas le moins du monde, rétorqua-t-il d'une voix glaciale.

Jane rougit, mais ne désarma pas encore :

— C'est exact. Toutefois je me sens une certaine responsabilité à l'égard de tante Elaine et...

— De quel droit l'appelez-vous tante Elaine ? s'enquit-il, furieux.

— Elle me l'a demandé en votre présence.

— Je ne m'en souviens pas, affirma-t-il.

D'un geste de la main, il indiqua son intention de clore la discussion en laissant planer le doute sur l'honnêteté de Jane.

Elle ne l'entendait pas de cette oreille.

— Dans ce cas, priez-la de vous le confirmer, lança-t-elle, les yeux étincelants de colère.

— Elle vous soutiendra, j'en suis certain. Elle ne jure plus que par vous et elle voudrait que tout le monde en fasse autant. Heureusement, nous ne sommes pas tous aussi naïfs qu'elle.

Jane pâlit. Nick venait enfin d'exprimer clairement ses sentiments, et le mépris dont il accablait soudain la jeune fille l'atteignit cruellement. Sa dignité lui commanda de se redresser et de l'affronter la tête haute.

— Si votre tante nourrit un quelconque projet à votre insu, je ne suis pas au courant, et pour ma part, je n'en ai aucun.

— Pensez-vous que je vais vous croire ? s'écria-t-il avec un petit rire sarcastique. Sylvia a raison. Dès votre arrivée, vous n'avez pas caché votre intérêt à l'égard de l'Ermitage. Certes, c'est une très belle propriété et je comprends qu'elle vous ait séduite. Hélas, vous n'auriez pas dû oublier que vous n'y résidez qu'à titre provisoire.

— Soyez plus explicite, monsieur Adams, déclara sèchement Jane.

Cette fois, un léger embarras perça dans l'intonation de son interlocuteur :

— Ne m'obligez pas à vous rappeler des vérités désagréables, Jane. Cette maison n'est pas votre foyer... et elle ne le sera jamais.

— Je le sais, accorda-t-elle en hochant la tête. Votre tante se fait peut-être certaines idées, mais je ne l'ai jamais encouragée. Je... je suis prête à partir quand vous voudrez.

Nick se détourna et, sans la regarder, il lança :

— Partiriez-vous tout de suite ?

Jane tressaillit au son un peu rauque de sa voix. Elle haussa les épaules. Des larmes lui brûlaient les yeux, mais elle répéta sans faiblir :

— Je suis prête.

Nick réfléchit un instant, puis déclara :

— Mieux vaut attendre. Vous partirez quand ma tante sera rétablie. Elle a besoin de vous.

Il avait retrouvé son calme et étudiait sa compagne d'un air songeur.

— Je ne l'ai jamais vue s'attacher à quelqu'un comme à vous, avoua-t-il comme à regret.

— J'en suis ravie. Je l'aime aussi, affirma fièrement Jane.

— Vous êtes gentille, admit Nick. Vous lui êtes d'un secours précieux en cette période difficile. Aidez-la à surmonter son hostilité envers Sylvia. Si vous le vouliez vraiment, vous réussiriez.

Son ton était redevenu imperceptiblement accusateur et Jane affirma très froidement :

— Je ferai de mon mieux.

Le repas se déroula dans un silence presque total. Chaque fois qu'elle levait les yeux, Jane surprenait le regard de Nick posé sur elle. Il le détournait évidemment aussitôt et elle étouffait un soupir.

Il lui était pénible de penser qu'il la soupçonnait de comploter contre Sylvia avec sa tante, et pire : de se poser en rivale de sa fiancée. Quelle humiliation ! Par chance, il ne se doutait pas de ses véritables sentiments. Cela, elle ne l'aurait pas supporté.

Lorsqu'elle monta porter du thé à Mme Butler en fin d'après-midi, la vieille dame somnolait, un livre ouvert sur ses genoux.

Se redressant à son arrivée, elle l'observa et lui demanda :

— Qu'y a-t-il, Jane ? Vous me semblez contrariée. Nick vous aurait-il dit quelque chose ?

— Et vous, que lui avez-vous dit ? rétorqua Jane, avec humeur.

Un sourire espiègle se dessina sur les lèvres de Mme Butler et l'éclat de ses yeux s'accentua.

— Ne vous a-t-il pas annoncé la nouvelle ?

— Quelle nouvelle ? Il ne m'a rien annoncé du tout !

— Alors ce n'est pas à moi de le faire. Il désire la garder secrète pour le moment, et je me mets à sa place.

— Mais de quoi parlez-vous ? s'impatienta Jane en s'asseyant au bord du lit et en essayant d'interpréter l'expression de plus en plus rusée de son interlocutrice.

— Nick n'est plus amoureux de Sylvia, déclara Mme Butler en articulant chaque mot sur un ton triomphant.

Jane se sentit pâlir, puis rougir. Scrutant de plus belle les traits de Mme Butler, elle la questionna :

— Vous l'a-t-il avoué ?

— Pas en ces termes, bien sûr, mais notre conversation m'a permis de le déduire avec certitude. Les propos qu'il a tenus sur sa fiancée ne sont pas ceux d'un homme amoureux, je vous le garantis.

— Un instant ! lança Jane, interrompant la vieille dame avec fermeté. Il a aussi été question de moi durant votre conversation, n'est-ce pas ? Nick a l'impression que nous nous sommes mises d'accord pour... pour que je...

Elle ne parvint pas à poursuivre et la vieille dame considéra son visage écarlate avec un sourire taquin.

— Je vous écoute, Jane.

— Buvez votre thé, il va refroidir, répliqua-t-elle en se levant précipitamment.

Et elle quitta la pièce sans avoir mis les choses au point comme elle le souhaitait. Il était trop difficile de reprocher à Mme Butler de se servir d'elle comme appât pour détourner Nick de Sylvia. Si elle n'avait rien éprouvé de particulier à l'égard de l'architecte, elle aurait pu aborder le sujet avec sang-froid. Hélas, il lui suffisait d'y penser pour rougir à nouveau et en outre, Mme Butler semblait la percer à jour et s'amuser de sa confusion.

Lorsqu'elle redescendit, elle entendit Nick parler aux chiens dans la cuisine et elle hésita à y entrer. La sonnerie du téléphone résonna soudain, lui fournissant un prétexte bienvenu pour se rendre dans le salon. Jimmy l'invitait à dîner chez lui à la ferme et elle s'empressa d'accepter dans le seul but d'échapper à la compagnie de Nick.

L'architecte parut furieux quand elle l'informa de son départ, mais il se garda du moindre commentaire. Se contentant d'acquiescer d'un signe de tête, il lui tourna ensuite le dos.

Jane monta revêtir l'une de ses jupes neuves assortie à un très beau corsage. Avant de quitter la maison, il lui fallut aller trouver Nick, la gorge nouée par un mélange de nervosité et d'anxiété.

— Puis-je vous demander de prévenir votre tante de mon absence ?

Il la détailla de la tête aux pieds d'un air sombre et rétorqua :

— Avez-vous peur de la prévenir vous-même ?

— Je suppose qu'elle dort et je ne veux pas la réveiller inutilement, répondit-elle.

Nick haussa les épaules.

— Très bien, je l'avertirai. Avez-vous songé à notre dîner ?

— Il y a de la viande froide et de la salade dans le réfrigérateur, fit-elle, feignant la désinvolture.

— Vous perdez votre temps, sachez-le ! gronda-t-il.

Conservant difficilement une apparence de calme, Jane murmura :

— Que dites-vous, je ne comprends pas ?

— Votre petit jeu est absurde et ridicule ! lança-t-il, ne se contenant plus.

Ses jambes se dérobant sous elle, Jane dut s'appuyer à la table. Son visage s'était encore une fois violemment empourpré.

— Mais... mais que voulez-vous dire ? balbutia-t-elle.

Et tout à coup, un petit rire hystérique s'échappa de ses lèvres. Elle ne l'avait pas calculé, mais il produisit l'effet rêvé sur Nick qui sortit brusquement de la cuisine en claquant la porte.

Le bruit résonna longtemps aux oreilles de Jane qui enfouit son visage brûlant entre ses mains et gémit :

— Mon Dieu, je voudrais n'être jamais entrée dans cette maison ! Je voudrais n'avoir jamais rencontré cet homme !

8

Le lendemain matin, après avoir nourri les animaux de l'Ermitage et trait les chèvres, Jane monta un petit déjeuner substantiel à Mme Butler. Elle trouva la vieille dame assise dans son lit, les traits figés en une expression étrange.

Les rideaux étaient tirés et la fenêtre grande ouverte, aussi Jane lui fit-elle la leçon en fronçant les sourcils :

— Croyez-vous que cet air glacé va vous aider à guérir ?

Posant son plateau, elle s'empressa de refermer la fenêtre. Mme Butler la considérait d'un air buté.

— Pourquoi êtes-vous sortie avec Jimmy Whitney hier soir ? s'enquit-elle sur un ton sec.

Sans répondre, Jane revint auprès d'elle. Elle lui arrangea ses oreillers, lissa ses couvertures et déclara :

— J'espère que vous mangerez bien aujourd'hui.

Mme Butler étudia le plateau où un œuf à la coque voisinait avec une petite théière et un verre de jus d'orange. Jane y avait aussi mis de fines tranches de pain beurré, un pot de confiture et une jolie tasse de porcelaine. Elle n'avait pas oublié les fleurs : quelques primevères qu'elle venait de cueillir et dont le cœur était encore humide de rosée.

Avec un soupir, la vieille dame repoussa finalement son repas, et elle répéta sa question :

— Pourquoi êtes-vous sortie avec Jimmy hier soir, Jane ?

— Vous savez très bien pourquoi, répliqua la jeune fille.

— Vos scrupules sont grotesques.

Refusant cette discussion, Jane s'assit au bord du lit et déclara gentiment :

— Vous allez manger ce matin.

En parlant, elle prit le verre de jus d'orange et le tendit à Mme Butler qui l'accepta. Elle se laissa nourrir comme un enfant, en protestant légèrement de temps à autre. Lorsqu'elle en arriva au thé, Jane se releva et s'installa sur une chaise auprès d'elle.

— Nick souhaite que je parte, annonça-t-elle au prix d'un immense effort. Il était furieux contre nous deux hier. Il a raison, je vais partir.

— Pas encore, fit Mme Butler sur un ton suppliant. Promettez-moi de rester encore un peu, j'ai besoin de vous. Promettez-le-moi !

Elle s'adossa contre ses oreillers, et Jane la trouva soudain si lasse et abattue qu'elle s'affola. S'emparant du poignet de la vieille dame, elle chercha son pouls qui battait faiblement.

— Je vais rappeler le médecin, annonça-t-elle en abandonnant précipitamment son siège.

Celui-ci se montra inquiet lorsque Jane lui parla au téléphone et il décida de passer dans les plus brefs délais.

Quand Jane remonta au chevet de sa malade, celle-ci s'était à nouveau allongée et semblait dormir. Toutefois, elle ouvrit les paupières à son entrée et ses yeux bleus, privés de leur éclat habituel, se posèrent sur elle.

— Promettez..., murmura-t-elle d'une voix presque inaudible.

De sa main, Jane couvrit la vieille main diaphane qui reposait sur le drap.

— Je ne partirai pas encore, je vous le promets, affirma-t-elle, n'écoutant que son cœur.

Les doigts tressaillirent sous les siens, puis s'apaisèrent, et une profonde détente gagna les traits de Mme Butler.

Quand elle fut certaine de son sommeil, Jane dégagea doucement sa main et sortit de la chambre sur la pointe des pieds.

Mme Pepper s'affairait au rez-de-chaussée et l'annonce de la maladie de Mme Butler l'émut beaucoup.

— Mon Dieu, la pauvre, elle qui se portait comme un charme ! Pourvu qu'elle guérisse ! A son âge, la moindre grippe peut tourner à...

— Ne dites pas de bêtises ! coupa Jane sur un ton brutal.

Mme Pepper sursauta, étonnée.

— Veuillez me pardonner, je réfléchissais tout haut.

Très pâle, Jane s'excusa à son tour :

— Je me suis montrée un peu brusque, j'en suis désolée, mais je me suis déjà tellement attachée à elle...

— C'est une chance que vous soyez là pour vous occuper des animaux.

Après un silence, la femme de ménage demanda à la jeune fille :

— Avez-vous prévenu M. Nick ?

— Il sait qu'elle est grippée.

— Et il est tout de même parti travailler ! Voilà qui m'étonne ! Il lui est très attaché, lui aussi.

Durant cette longue journée, Jane pensa souvent à la réflexion de Mme Pepper. Le docteur jugea l'état de la vieille dame plus grave que la veille. Angoissée par sa respiration rauque et difficile, Jane questionna le médecin qui lui répondit d'une manière évasive. Il s'empressa de se détourner et de s'asseoir pour rédiger une ordonnance.

— Procurez-vous ces produits au plus vite, déclara-t-il en tendant à Jane la feuille couverte de plusieurs lignes d'une grande écriture indéchiffrable.

— Je suis seule ici et je ne peux pas quitter Mme Butler, expliqua-t-elle. Dois-je demander à Nick de rentrer ?

— Oui, téléphonez-lui.

Le médecin enveloppa Jane d'un regard compatissant, puis il la quitta. Une fois seule dans le hall de la maison, elle resta quelques instants désemparée.

La secrétaire de Nick se montra très aimable, mais l'architecte ne se trouvait malheureusement pas dans son cabinet.

— Oh, mon Dieu ! s'exclama Jane sans pouvoir dissimuler son désarroi. Savez-vous quand il rentrera ou à quel endroit je peux le joindre ?

— Est-ce urgent ? s'enquit la jeune femme.

— Oui, très urgent. Sa tante est malade.

La secrétaire hésita avant de lui répondre :

— J'ignore où il est, mais il a quitté son bureau il y a un quart d'heure en compagnie de sa fiancée. Peut-être est-il chez elle.

A cette nouvelle, une terrible vague de jalousie déferla sur Jane qui se contrôla de son mieux pour affirmer calmement :

— Très bien, je vais l'appeler là-bas. Avez-vous le numéro de téléphone de sa fiancée ?

La secrétaire l'indiqua à Jane qui l'inscrivit d'une main tremblante sur le bloc placé près de l'appareil. Ensuite, elle dut s'asseoir un instant et rassembler tout son courage afin de composer le numéro de Sylvia.

La jeune fille décrocha elle-même et, dès le premier instant, sa voix trahit une vive mauvaise humeur.

— Nick est-il chez vous ? s'enquit Jane sur un ton que la nervosité rendit sec et brusque.

Après un silence, Sylvia lança un *non* chargé de colère, et elle raccrocha violemment.

Le combiné encore en main, Jane connut quelques secondes de panique. Qu'allait-elle faire ? Mme Pepper était partie. A qui pouvait-elle s'adresser pour lui chercher les médicaments ? Il était hors de question d'abandonner la malade, ne fût-ce qu'un moment.

Enfin, une solution lui apparut ; et elle sourit de soulagement. Pourquoi n'avait-elle pas pensé à Jimmy plus tôt ?

Rebroussant chemin, elle retourna en courant jusqu'au téléphone. Par bonheur, Jimmy était chez lui et il accepta avec empressement de lui rendre service.

— J'arrive dans cinq minutes. Ne vous affolez pas.

En l'attendant, Jane monta vite auprès de Mme Butler qu'elle trouva profondément assoupie. Certes, elle était très rouge et elle respirait toujours mal, mais son état sembla soudain moins alarmant à la jeune fille qui la quitta avec un léger optimisme.

Jimmy la questionna timidement :

— Elaine est-elle très malade ? Je ne peux pas le croire. Aussi loin que je me souvienne, je l'ai toujours vue en pleine forme.

— Je ne peux rien vous dire. Le médecin ne se prononce pas. A son âge, vous savez, une simple grippe est parfois fatale.

Dissimulant mal son inquiétude, Jimmy la regarda dans les yeux.

— Va-t-elle mourir à votre avis ?

Trop émue pour parler, Jane baissa la tête. Voyant son chagrin, Jimmy lui donna une tape affectueuse sur l'épaule et partit avec l'ordonnance en promettant d'être de retour dans les plus brefs délais.

Jane l'attendit au chevet de Mme Butler. Incapable de se concentrer sur le livre qu'elle tentait de lire, elle sursautait au moindre mouvement de la malade. L'état de la vieille dame avait à nouveau l'air de s'aggraver de seconde en seconde. Etait-ce vraiment le cas, ou Jane se laissait-elle égarer par son imagination ?

Elle ne possédait hélas aucune connaissance médicale. Sa propre tante s'était éteinte doucement, sans jamais la placer face à une telle situation d'urgence.

Lorsque Jimmy revint avec les médicaments, il trouva Jane penchée au-dessus de la vieille dame. Elle lui offrait un peu de citronnade pour l'aider à se remettre d'une violente quinte de toux. Le jeune homme assista à la scène en silence. Jane se tourna ensuite vers lui avec un sourire.

— Vous avez fait vite, merci !

Jimmy traversa la pièce en lui demandant à mi-voix :

— Comment va-t-elle ? Elle a l'air d'être au plus mal.

Epouvantée, Jane observa Mme Butler afin de savoir si elle avait entendu ces terribles paroles, puis elle invita Jimmy à se taire d'un signe impérieux. Se levant, elle sortit de la pièce sur la pointe des pieds et il la suivit. Lorsqu'elle atteignit le seuil, elle lui répondit enfin :

— Je ne voulais pas parler devant elle. De nous entendre risque de porter atteinte à son moral.

— Pardonnez-moi, je n'ai pas réfléchi. Je l'ai trouvée en si piètre état que je n'imaginais même pas qu'elle puisse se rendre compte de ce qui se passait autour d'elle.

— Elle ne va pas bien du tout, accorda Jane. Si seulement je réussissais à joindre Nick !

— L'avez-vous appelé à son cabinet ?

Ces propos amenèrent une petite moue d'impatience sur le visage de Jane et Jimmy s'écria aussitôt :

— Bien sûr ! Quelle question ! Je suis stupide ! Il n'était donc pas là et on n'a pas pu vous indiquer où il était.

— Sa secrétaire le croyait chez Sylvia.

— Et il n'y est pas, devina Jimmy. J'espère qu'il vous contactera dès qu'il apprendra que vous lui avez téléphoné. Vous êtes vraiment très inquiète, n'est-ce pas ?

Jane haussa les épaules pour signifier son désarroi et son impuissance.

— Je ne sais que penser. Le médecin n'a rien voulu me dire et personnellement, j'ai très peur.

— Je le vois ! s'exclama Jimmy. Pauvre Jane, que puis-je faire pour vous ? Avez-vous au moins mangé depuis ce matin ?

Elle le considéra d'un air ahuri, comme s'il avait prononcé un mot incompréhensible.

— Mangé ! répéta-t-elle.

Consultant soudain sa montre, elle s'exclama :

— Mon Dieu, il est si tard déjà ! J'ai complètement oublié l'heure.

— Et vous avez aussi oublié de déjeuner ?

La jeune fille hocha la tête.

— Avez-vous faim ?

Se tenant à nouveau à l'écoute des besoins de son corps, elle se rendit compte qu'elle avait même très faim, et elle l'avoua à son compagnon.

— Très bien, décida-t-il. Restez auprès d'Elaine pendant que je prépare un petit repas. Et cessez de vous tourmenter. Si elle remarque votre mine, elle croira vraiment que ses jours sont comptés.

Jane lui obéit avec un sourire. Lorsqu'il lui monta un plateau, elle s'imaginait à tort ou à raison que la vieille dame allait un tout petit peu mieux.

— La température a légèrement baissé, annonça-t-elle à Jimmy.

Prenant le plateau qu'il lui tendait, elle s'exclama en riant :

— Vous avez manqué votre vocation ! Vous auriez dû devenir cuisinier !

— Ne laissez pas refroidir, répliqua-t-il aimablement. Je redescends. Vous n'avez qu'à m'appeler si vous avez besoin de quoi que ce soit. J'ai prévenu mon père que je resterai ici jusqu'au retour de Nick.

Très touchée, Jane le remercia de tout cœur et il s'enfuit, confus devant tant de gratitude.

D'autres heures s'écoulèrent, l'après-midi s'acheva

enfin. Nick ne revenait toujours pas. Jane songea plusieurs fois à téléphoner de nouveau à son cabinet, mais elle hésita. Mme Butler se portait vraiment mieux et il risquait de lui reprocher de s'être alarmée sans motif.

Après la façon dont il l'avait accusée de tenter de s'incruster à l'Ermitage, elle ne voulait surtout pas lui donner l'impression de chercher des prétextes pour avoir davantage affaire à lui.

A six heures, Jimmy insista pour qu'elle descendît se détendre un moment pendant qu'il la remplacerait au chevet de Mme Butler.

Dans la cuisine, les chiens l'accueillirent avec plus d'enthousiasme encore qu'à l'accoutumée. La maladie de leur maîtresse bouleversait leurs habitudes quotidiennes et Mme Butler leur manquait.

— Vous comprenez tout, n'est-ce pas ? lança affectueusement Jane en caressant Punch. Jimmy vous a-t-il donné à manger ?

— Que fait-il ici ? s'enquit une voix furieuse.

Jane sursauta et, pivotant sur elle-même, elle découvrit Nick sur le seuil de la pièce.

— Oh Nick, vous voilà enfin ! s'exclama-t-elle avec un soulagement indicible. Je me demandais quand vous rentreriez !

— Je vous ai posé une question, fit-il, les sourcils froncés. Que fait Jimmy ici ? Je viens de l'apercevoir à une fenêtre du premier étage.

— Il veille sur votre tante, répliqua-t-elle sèchement.

— Comment ?

Nick gratifia son interlocutrice d'un coup d'œil noir, puis son expression se modifia soudain.

— Son état s'est-il aggravé ? Que se passe-t-il ? Pourquoi ne m'avez-vous pas averti ?

— Je vous ai téléphoné ! protesta-t-elle.

Il lui tourna brutalement le dos. Comme il se préparait à monter, elle le rejoignit en courant, et s'empara de son bras.

— Attendez! Attendez! Il faut que vous vous calmiez avant de vous présenter devant votre tante.

— Bien, infirmière. Vous avez raison, infirmière! railla-t-il.

Malgré lui, il se détendit, et un sourire amusé se forma sur ses lèvres.

— Vous vous montrez très autoritaire tout à coup.

Le bras de Jane retomba le long de son corps tandis qu'elle reculait.

— Pardonnez-moi. Je voulais simplement éviter que vous ne lui causiez des inquiétudes.

— Mais comment va-t-elle? Et si vous m'avez téléphoné, pourquoi ne suis-je pas au courant de votre appel?

— Elle a été très malade durant toute la journée, mais son état commence à s'améliorer. Je vous ai appelé en fin de matinée parce que j'étais affolée. Hélas, vous étiez parti, et j'ai essayé en vain de vous joindre chez Sylvia.

— Ma secrétaire ne m'a rien dit, c'est curieux. Je ne me suis pourtant absenté qu'une heure. Vous auriez dû me rappeler.

Rougissante, Jane balbutia :

— Je pensais que... qu'on vous préviendrait. J'ai expliqué la situation à votre secrétaire.

— Elle a oublié. Ce n'est pas dans ses habitudes, mais nous avons été si bousculés aujourd'hui.

Etudiant son interlocutrice avec attention, il ajouta sur un ton radouci :

— Vous êtes épuisée, Jane. Avez-vous eu tant à faire?

— Je suis restée auprès de votre tante toute la journée, expliqua-t-elle. Elle a eu beaucoup de température jusqu'à ce soir.

— Je vais monter maintenant, décida Nick. Comptez sur moi, je me conduirai bien. Et je vous enverrai

Jimmy. Puisqu'il est venu vous tenir compagnie, je ne veux pas vous priver de sa présence.

— Il est venu m'aider ! rétorqua Jane avec indignation. J'avais besoin de quelqu'un pour aller chercher des médicaments. C'est d'ailleurs pour cette raison que j'ai essayé de vous joindre. Comme vous ne vous trouviez ni à votre bureau, ni chez Sylvia, j'ai été obligée de faire appel à lui.

Considérant Nick avec un air de défi, elle ajouta :

— Et il a eu la gentillesse de venir tout de suite. Il n'a pas cessé de se rendre utile. Il s'est chargé du déjeuner, et il m'a remplacée auprès de votre tante afin que je puisse me reposer un peu. Je lui en suis très reconnaissante.

— Notre bon Jimmy ! railla Nick. Inutile de prendre ce ton, Jane. Il s'est montré très serviable, je ne le conteste pas. Je le remercierai d'ailleurs comme il le mérite.

— Epargnez-moi votre ironie ! lança-t-elle.

— Je ne suis pas ironique, que vous imaginez-vous ?

Jane décocha un coup d'œil furieux à son compagnon. En retour, il la gratifia d'un sourire moqueur, puis la quitta. Les joues en feu, elle examina le contenu du garde-manger afin de composer le dîner.

Jimmy ne tarda pas à la rejoindre. Il lui annonça en souriant :

— Je vais vite rentrer chez moi à présent, si vous le permettez.

— Je suis en train de préparer le repas, déclara-t-elle. Resterez-vous avec nous ?

Jimmy hésita, puis refusa :

— Non, vous êtes très gentille, mais mon père m'attend. Je ne peux pas lui laisser tout le travail. Je vous téléphonerai demain.

S'approchant d'elle, il déposa un petit baiser sur son front, en affirmant :

— Vous êtes un ange.

— Eh bien, nous sommes deux ! répondit-elle en souriant. J'allais vous adresser le même compliment. Je vous dois beaucoup, Jimmy. Je ne sais pas comment je me serais débrouillée sans vous.

Jimmy serra un instant la jeune fille contre lui et partit. Elle composa ensuite un repas très simple. Bientôt, Nick réapparut et il l'observa du seuil de la cuisine. Mal à l'aise sous son regard, elle éprouva soudain une grande difficulté à accomplir les tâches les plus élémentaires.

Finalement, elle se tourna vers lui et lança :

— Pourquoi avez-vous laissé tante Elaine toute seule ? Faut-il que je remonte auprès d'elle ?

— Elle n'a plus besoin d'être veillée en permanence, affirma-t-il. Je viens d'avoir avec elle une conversation pleinement satisfaisante. Si elle a besoin de nous, elle nous appellera.

Quand Jane commença à mettre la table, Nick lui prit les couverts des mains et se chargea du travail à sa place en silence.

Tout à coup, elle se décida à parler.

— Je me suis entendue avec votre tante. Je m'en irai dès qu'elle sera rétablie, annonça-t-elle d'un seul trait.

Nick ne répondit pas. Au bout de quelques instants, elle affirma sur un ton mi-accusateur, mi-douloureux :

— Vous êtes content, je suppose.

Il s'obstina dans son mutisme, lui opposant un visage sombre, aux traits figés.

9

L'état de santé de Mme Butler s'améliora, puis empira à nouveau d'une manière imprévisible. Sa température baissait pour remonter, son appétit variait d'heure en heure, et le médecin qui venait la voir chaque matin se montrait de plus en plus désorienté.

— Je ne comprends pas, avoua-t-il à Jane. Un jour, elle semble aller mieux, et le lendemain, tout le progrès s'est annulé. C'est une véritable énigme.

L'énigme valait aussi pour Jane qui, passant ses journées au chevet de la vieille dame, assistait à des hauts et des bas spectaculaires. Souvent encore, elle se demanda si Mme Butler ne se servait pas de sa maladie pour favoriser la réalisation de ses projets secrets. Ces soupçons lui inspirèrent de cuisants remords l'après-midi où elle trouva sa patiente pâle comme la mort, à moitié inconsciente dans son lit.

Affolée, elle appela immédiatement le médecin qui partagea ses craintes.

— Je ne me suis absentée qu'un quart d'heure, lui expliqua-t-elle. Et à mon retour, je l'ai découverte ainsi.

Le médecin fronça les sourcils.

— Mange-t-elle assez ? s'enquit-il.

Jane secoua la tête. Elle éprouvait la plus grande

peine à persuader tante Elaine de se nourrir convenablement.

— J'essaye de lui faire prendre des repas consistants, mais elle se contente d'un peu de légumes.

— Des légumes ! répéta le docteur en fronçant les sourcils de plus belle. Les légumes ne lui donneront pas de forces. Il lui faut des protéines. Lui apportez-vous des œufs, de la viande, du poisson ?

— Bien sûr, mais elle les refuse.

Le médecin considéra d'un air soucieux la frêle silhouette allongée dans une immobilité absolue.

— Pourquoi ? Ne les aime-t-elle pas ?

— Elle est végétarienne. Elle a toujours eu un appétit d'oiseau, mais depuis sa maladie, elle n'a plus jamais faim.

— Eh bien, il faut réveiller ce petit appétit, décida le médecin d'une voix ferme. Elle est en train de mourir d'inanition. Maintenant je m'explique mieux ces symptômes qui m'ont tant tracassé.

— Je suis prête à tenter l'impossible, annonça Jane, se réjouissant à l'idée de revoir Mme Butler en forme comme elle l'avait connue. Mais comment vais-je procéder pour la convaincre de s'alimenter ? Jusqu'à maintenant, j'ai fait de mon mieux, je vous l'assure. Je ne suis pas une mauvaise cuisinière et je me suis appliquée à lui présenter les plats les plus alléchants. Elle est pourtant restée indifférente, les repoussant les uns après les autres.

— La trouvez-vous apathique ? demanda le médecin.

Comme Jane acquiesçait, il enchaîna :

— Je crois commencer à comprendre. Les médicaments ne suffisent pas, nous allons y ajouter un brin de psychologie. A son prochain repas, montez à Mme Butler des portions minuscules : la valeur d'une cuillerée à soupe de poisson par exemple. Présentez-lui sa nourriture sur un grand plat afin de la faire paraître plus petite encore et surtout, gardez-vous du moindre commen-

118

taire. Si elle refuse de manger, ne dites rien, mais arborez une mine triste et repartez lentement avec un air accablé. Au repas suivant, répétez le même scénario. Et dès qu'elle commencera à manger, augmentez graduellement les quantités. Ce stratagème réussira peut-être.

— J'essayerai affirma Jane en hochant la tête.

Le docteur rédigea ensuite une ordonnance qu'il lui tendit.

— Voilà, je lui prescris des vitamines et du fer pour accélérer son rétablissement.

Lorsque Jane rapporta cet entretien à Nick, il lui parut infiniment soulagé. L'étudiant, Jane nota des marques de fatigue sur son visage. Il s'était relayé avec elle toutes ces dernières nuits afin de veiller la malade, et ces heures prises sur son sommeil se traduisaient en cernes sous les yeux, en pâleur, en lassitude exprimée par ses yeux brillants.

Jane avait insisté pour s'occuper seule de tante Elaine. Travaillant au-dehors, Nick avait en effet un plus grand besoin de dormir qu'elle. Ayant bien sûr refusé de lui abandonner cette lourde tâche, il payait son dévouement par une très mauvaise mine. Toutefois, Jane se demandait si un tourment secret n'en était pas aussi en partie la cause.

Appuyé contre un mur de la cuisine, Nick la regardait s'affairer, et sa pose semblait trahir un tel épuisement qu'elle suggéra :

— Allez donc vous asseoir au salon une demi-heure. Le dîner peut attendre.

— Je meurs de faim ! protesta-t-il.

— Dans ce cas, je vous conseille de monter vous coucher dès que nous aurons mangé.

— Ai-je donc une si piètre figure ?

Il esquissa une grimace, l'accentuant pour faire rire sa compagne tandis qu'il s'examinait dans une glace.

— Un adulte a besoin de huit heures de sommeil par jour, glissa Jane.

— Très bien, infirmière, vous avez raison, infirmière, fit-il en se moquant encore une fois d'elle sans méchanceté.

Obligée de passer près de lui afin de prendre un plat, si près qu'elle aperçut les pointes dorées de ses cils, Jane s'écarta à nouveau au plus vite, le cœur battant. Sa proximité constituait invariablement pour elle un mélange d'enfer et de paradis.

Sylvia se présenta le lendemain avec un luxueux assortiment de fruits confits dans un panier argenté orné de rubans roses. Elle manifesta le désir de les remettre elle-même à Mme Butler. Embarrassée, Jane la pria d'attendre sous prétexte d'aller voir si la malade était réveillée.

Confortablement installée dans son lit, Mme Butler lisait. Elle se portait un peu mieux, la nourriture qu'elle acceptait de prendre commençant à produire son effet. Elle accueillit Jane avec un grand sourire.

Toutefois, dès que la jeune fille lui annonça la visite de Sylvia, elle se rembrunit en s'écriant :

— Je ne veux pas la recevoir ! Elle ne s'est déplacée que dans l'espoir de me trouver à l'agonie.

— Vous dites des horreurs ! protesta Jane.

— Je la connais, soutint-elle.

Etouffant un soupir, Jane crut de son devoir d'insister :

— Vous ne pouvez pas la laisser repartir ainsi.

— Et pourquoi pas ? Donnez-moi au moins une raison valable.

— Faites-le pour Nick, sinon elle sera furieuse et il en subira les conséquences.

Mme Butler leva les yeux au ciel.

— C'est du chantage ! Enfin, vous avez gagné. Qu'elle monte ! Mais je vous prie de rester au cas où elle se montrerait insupportable.

Sylvia fut tout sourires auprès de la vieille dame. Elle n'en décocha pas moins des coups d'œil rageurs à Jane qui, sous couvert d'effectuer de petits travaux ici et là, ne quittait pas la chambre.

Déployant une ruse diabolique, Mme Butler s'était redressée contre ses oreillers, et elle donna à Sylvia le spectacle d'une vieille dame débordante de vigueur et d'énergie, au parler vif et enthousiaste. Etant informée de la vérité sur son état, Jane ne se méprit pourtant pas sur le rouge de ses joues qui trahissait sa colère plutôt que sa santé.

Plus Sylvia l'observait, plus son joli visage s'assombrissait. L'excellente forme apparente de Mme Butler lui causait une déception qu'elle ne savait pas cacher.

Toutefois, Jane n'osait pas vraiment croire qu'elle lui avait rendu visite dans l'espoir de la trouver au plus mal. La vieille dame ne lui avait-elle pas simplement prêté ces affreuses pensées à cause de l'inimitié qui les dressait l'une contre l'autre ?

Certes, le décès de Mme Butler aurait apporté une solution à une situation qui n'en comportait pas. Sylvia aurait gagné la partie sans même avoir eu à se battre. Mais tout de même !

Au bout de dix petites minutes, la jeune fille prit congé de la malade. Jane la raccompagna et, arrivée dans le hall, elle promena autour d'elle un regard méprisant.

— Que c'est sombre et triste ! Il faudrait repeindre les murs et échanger cette vieille porte contre une porte vitrée afin de laisser entrer le maximum de lumière. Quant à ce mobilier démodé, n'en parlons pas ! Tout est à transformer dans cette maison.

Sans plus s'occuper de Jane, elle se mit à aller et venir d'une pièce à l'autre en déplorant les lacunes de l'installation.

— Nick devra me donner carte blanche et cette demeure revivra grâce à moi ! s'exclama-t-elle.

Elle courait de droite et gauche, ses yeux verts brillants d'une étrange fièvre. A sa manière, elle aimait aussi l'Ermitage, en conclut Jane. Hélas, ses vues ne coïncidaient pas avec celles de Mme Butler. L'une désirait conserver la demeure telle que les siècles l'avaient modelée, l'autre envisageait des rénovations de grande envergure.

Sylvia s'immobilisa enfin et se tourna vers Jane.

— C'est une demeure splendide, mais elle a été négligée. Imaginez-vous le parti que l'on pourrait en tirer ?

Jane acquiesça malgré elle, car Sylvia n'avait pas tort. Les joues rougies par l'exaltation, elle lança :

— Oh, je suis impatiente de m'y installer ! C'est un crime de la laisser dans cet état ! L'Ermitage pourrait être la plus belle maison de toute la région.

Que répondre ? Jane préféra garder le silence. Absorbée par ses pensées et ses projets, Sylvia la questionna soudain avec brusquerie :

— Combien de temps vivra-t-elle encore à votre avis ?

D'un geste, elle indiqua l'étage où se reposait Mme Butler.

— Je pensais pourtant qu'elle ne se rétablirait pas. Je n'ai presque pas vu Nick ces temps-ci, et il nourrissait les plus vives inquiétudes. J'en ai déduit qu'elle était vraiment très malade.

— Elle l'était, assura Jane en contenant difficilement son indignation. Et je me suis inquiétée aussi.

De plus en plus pressante, Sylvia lui demanda :

— Que dit le docteur ?

— Il juge son état préoccupant.

— Je l'ai pourtant trouvée très en forme, avoua Sylvia avec une moue.

Encore une fois, Jane garda le silence. Elle n'allait tout de même pas révéler à Sylvia que Mme Butler avait mobilisé toutes ses pauvres forces afin de l'induire en erreur.

La jeune fille la considérait cependant avec insistance.

— Je veux savoir la vérité. A-t-elle une chance de se rétablir ?

— Sans aucun doute, affirma Jane avec une profonde satisfaction.

La fureur se peignit sur les traits charmants de son interlocutrice.

— Mais elle ne sera plus aussi alerte qu'avant, n'est-ce pas ? lança-t-elle avec un nouvel espoir. A son âge, on s'affaiblit beaucoup en restant alité.

Jane dut se retenir pour ne pas éclater de rire tant les préoccupations de Sylvia étaient transparentes. Quelle créature mauvaise, égoïste, et puérile dans son comportement, comme dans ses propos ! Se dominant de son mieux, elle répondit :

— Tante Elaine possède une volonté de fer. Si elle a décidé de se remettre, elle se remettra.

— Dans ce cas, elle se remettra, rien que pour m'empêcher d'entrer en possession de l'Ermitage !

Jane faillit sourire, mais elle se retint car Sylvia la fixait d'un air hostile.

— Elle ne m'honore pas de ses confidences, déclara-t-elle prudemment.

— Vous plaisantez ! railla Sylvia. Elle vous associe étroitement à ses projets au contraire, j'en suis certaine. Vous avez eu de la chance jusqu'ici. Nick vous aurait renvoyée dès le premier jour s'il n'avait pas si bon cœur. Et maintenant, la maladie de sa tante rend votre présence indispensable. Quelle grippe providentielle !

A ces mots, Jane ouvrit de grands yeux.

— Vous êtes probablement persuadée que Mme Butler vous aime beaucoup. Nick le croit quant à lui, enchaîna Sylvia. Eh bien, détrompez-vous ! Mme Butler n'aime rien ni personne en dehors de l'Ermitage.

Elle se contente de se servir de vous pour me tenir à distance. Vous n'êtes qu'un instrument entre ses mains. A votre place, je trouverais ce rôle humiliant. Mais vous ignorez sans doute jusqu'au sens du mot dignité. Vous vous bornez à obéir à l'instinct qui vous pousse à chercher un nid pour vous y établir. Je vais mettre un terme à cette situation ridicule. Vous êtes libre de démissionner quand vous voudrez et si vous ne le faites pas, je m'en chargerai pour vous.

Ayant achevé son petit discours, Sylvia tourna les talons et disparut en tenant bien haut sa tête blonde. Jane fixa un moment la porte par laquelle elle était sortie avec un profond sentiment de dégoût. Lorsque leurs intérêts étaient en jeu, les êtres humains se conduisaient comme des monstres.

Elle ne souffrait pas tant des menaces de Sylvia que de l'idée d'être simplement une arme dans la lutte de Mme Butler...

Quant à Nick, ne se laissait-il pas utiliser de la même façon par Sylvia? Ne constituait-il pas pour elle le moyen, et l'Ermitage la fin, le but qu'elle convoitait? L'aimait-elle aussi pour lui-même? Lorsqu'elle se trouvait avec lui, elle le couvait de ce regard avide qu'elle venait d'avoir en parlant de la maison. Ne s'agissait-il que d'avidité, ou l'aimait-elle tout de même un peu?

Soudain, Jane interrompit énergiquement le cours de ses pensées. Cette affaire ne la concernait pas; pourquoi l'oubliait-elle sans cesse? Nick, Sylvia et Mme Butler devaient résoudre leurs problèmes eux-mêmes. Quant à elle, elle se promit de partir dès le rétablissement de la vieille dame.

Durant l'après-midi, tandis qu'elle nettoyait l'un des boxes, quelqu'un frappa plusieurs coups à la porte.

— Entrez! fit-elle, s'attendant à voir un fournisseur.

A son grand étonnement, un petit visage couvert de taches de rousseur apparut. C'était un garçonnet d'une huitaine d'années. Intimidé, il s'avança progressivement, révélant une chemise bleue, puis un pantalon usé jusqu'à la corde. D'un sac en bandoulière dépassait la tête d'un lapin noir et blanc. L'animal fronçait sans arrêt les narines d'une façon comique.

— Bonjour ! lança gentiment Jane. Qui es-tu ?

— Je m'appelle Ken Hunt.

— Approche donc. Que désires-tu ?

— Pourriez-vous le prendre ? demanda-t-il sur un ton suppliant en désignant l'animal.

— Pourquoi, Ken ? Ne peux-tu pas le garder chez toi ?

Les yeux de l'enfant s'emplirent de larmes.

— Ma mère est entrée à l'hôpital, et ma grand-mère dit que nous lui donnons assez de travail mon père et moi, sans qu'elle s'occupe encore de Robby. Elle ne veut plus de lui. Accepteriez-vous de me le prendre jusqu'au retour de maman ? Je reviendrai le chercher, je vous le promets. Gardez-le seulement jusqu'au retour de maman !

Les lèvres tremblantes, il guettait la réaction de Jane. De l'une de ses poches, il tira tout à coup une poignée de pièces de monnaie qu'il lui tendit.

Jane repoussa la petite main.

— Range ton argent, Ken. Nous avons bien assez de légumes dans le jardin. Suis-moi, je sais où nous allons installer Robby.

— Oh merci ! s'exclama Ken du fond du cœur.

Lorsqu'il vit son protégé tout à son aise dans une grande cage à la fois aérée et protégée des intempéries, lorsqu'il lui eut donné quelques feuilles de laitue et du pain, Robby perdit sa pauvre mine soucieuse et se détendit.

Jane lui proposa de faire la connaissance des autres animaux de l'Ermitage, et il accepta avec enthousiasme.

— Vous avez des ânes ! Quelle chance ! Il y a si longtemps que j'ai envie d'un âne ! Robby est mon premier animal. Auparavant, mes parents ne m'avaient acheté qu'un poisson rouge, mais il ne m'intéressait pas. D'ailleurs, il est mort très vite.

Attendrie, Jane écoutait son jeune interlocuteur en souriant.

— Avez-vous aussi des chiens ? s'enquit-il sans quitter des yeux les ânes et les chevaux qui le fascinaient.

— Oui, mais ils se promènent en ce moment. Ils peuvent courir en liberté dans la propriété.

— Combien en avez-vous ?

— Trois.

Tandis que Jane lui parlait de Punch, Patch et Poppy, Ken caressait les ânes. Lorsqu'elle se retourna, elle vit les inséparables accourir du fond de la prairie.

— Les voici, Ken ! s'exclama-t-elle.

Se retournant à son tour, l'enfant poussa un cri de joie.

A leur arrivée, les chiens bondirent autour de l'inconnu en manifestant leur curiosité par de vigoureux aboiements. Soudain, Jane aperçut Mme Butler à une fenêtre du premier étage. Intriguée par le bruit, elle en cherchait la cause, et d'un signe, elle invita la jeune fille à mener le garçonnet jusqu'à elle.

Ken quitta à regret ses nouveaux amis. Toutefois, quand il apprit que ce merveilleux refuge n'aurait pas existé sans la vieille dame, il cessa de protester, et se montra au contraire impatient de la rencontrer.

Instruite du motif de la présence de l'enfant à l'Ermitage, Mme Butler s'adressa gentiment à lui :

— Tu as donc un lapin ?

Ken parut effrayé, comme s'il craignait de voir la vieille dame refuser d'héberger Robby.

Mme Butler lui sourit.

— Eh bien, Robby sera le premier lapin que j'accueille depuis des années. Te rends-tu compte ? Mais il est vrai que les lièvres sont nombreux dans le parc. Il faut même s'en méfier car ils font des ravages dans le jardin.

— Vous... vous ne les tuez pas ? s'enquit l'enfant, arborant une expression horrifiée.

— Mon Dieu, non ! s'écria Mme Butler en éclatant de rire. Nous veillons seulement à maintenir nos clôtures en parfait état. Leur pire ennemi est plutôt le renard.

Ken ouvrait des yeux de plus en plus grands.

— Vous avez aussi des renards !

— Mais oui, mon enfant. Leurs tanières sont bien cachées. Cependant, il m'est arrivé de les surprendre à l'aube ou au crépuscule.

Suspendu aux lèvres de Mme Butler, Ken s'était assis au bord de son lit. Jane se retira discrètement, les abandonnant à cette conversation qui semblait leur procurer à tous les deux le même plaisir.

Lorsqu'elle revint, elle les trouva toujours aussi passionnés, mais elle crut de son devoir de rappeler l'heure à l'enfant. Il vivait au village, à un quart d'heure à pied de l'Ermitage, et sa famille risquait de s'inquiéter de son absence prolongée.

— Papa sait que je suis ici, expliqua-t-il. Il m'a autorisé à venir.

Après son départ, Jane monta un dîner léger à la vieille dame qui tenta de le repousser, puis finit par manger.

Installée auprès d'elle, Jane lança soudain le plus naturellement du monde :

— Vous ai-je dit que Nick m'a fait visiter le cottage qu'il a acheté pour vous ? Il est charmant, confortable, et très facile à entretenir.

— Je le connais, répliqua sèchement sa compagne.

Jane étudia son visage soudain sombre avec embarras.

— Nick essaye de faire de son mieux, glissa-t-elle.

— Eh bien, ce n'est pas satisfaisant ! Regardez un peu cette abomination !

Elle s'empara du panier de fruits confits de Sylvia et le brandit sous les yeux de son interlocutrice.

— Voici un cadeau ridiculement coûteux et encombrant... sans parler de sa laideur ! Il correspond exactement à la personnalité de celle qui me l'a offert. Jamais je ne laisserai une telle créature s'installer à l'Ermitage !

— Tout le monde n'aime pas les animaux, tante Elaine, affirma Jane, s'efforçant de ramener la vieille dame à la raison.

— Je ne songe pas aux animaux, mais à la maison. A la maison et à Nick. Mon neveu doit épouser une jeune fille douce, bonne, généreuse, et non pas Sylvia.

— C'est à lui d'en décider, objecta Jane.

Mme Butler la fixa longuement et si intensément qu'elle finit par rougir.

— Nick a commis une erreur et il commence à s'en rendre compte. Nous devons l'aider à se tirer de ce mauvais pas.

Se levant avec raideur, Jane annonça :

— Si vous avez terminé, je vais redescendre votre plateau.

— Ne vous enfuyez pas si vite ! lança Mme Butler en éclatant de rire.

De toute évidence, elle était ravie, et elle interprétait aisément la confusion de son interlocutrice qui se sauva sans répondre, ne préférant pas risquer de perdre complètement la face.

Nick rentra tôt ce jour-là. Il revenait d'un chantier près de Londres et, malgré sa lassitude, il salua Jane d'un large sourire.

— Je monte me changer avant le dîner, déclara-t-il.

— Sylvia a rendu visite à votre tante aujourd'hui, lui expliqua Jane d'une voix neutre.

— Ah ! fit-il en fronçant les sourcils. L'entrevue s'est bien passée, j'espère ?

— Elles se sont montrées très courtoises l'une envers l'autre.

— Ne se sont-elles disputées à aucun moment ? s'enquit-il, l'air sceptique.

128

— Pas que je sache. Sylvia lui a apporté un panier de fruits confits et elle a témoigné un vif intérêt à propos de sa maladie.

Jane se défendit d'indiquer à Nick dans quel sens. Il ne lui appartenait pas d'éclairer l'architecte sur les calculs inavouables de sa fiancée.

— Tant mieux, murmura-t-il distraitement en quittant la cuisine.

Ce soir-là, pour la première fois, Mme Butler ne requit pas de soins spéciaux. Après avoir lu pendant une heure, elle s'endormit tranquillement. A son arrivée, Jane trouva la chambre plongée dans l'obscurité et la respiration régulière de la vieille dame lui apprit qu'elle s'était assoupie.

Elle resta un moment sur le seuil de la pièce, écoutant ce bruit rassurant. Mme Butler ne toussait plus, son souffle aisé et égal annonçait le retour de la santé.

Enfin, la jeune fille se décida à refermer la porte et elle redescendit l'escalier, ralentissant de plus en plus l'allure, s'arrêtant sur chaque marche. Une insidieuse mélancolie était en train de remplacer le soulagement et la gratitude qu'elle venait d'éprouver. Il lui fallait partir. Plus rien ne justifiait sa présence à l'Ermitage. Mme Butler n'avait plus besoin de ses services et Nick ne voulait plus d'elle chez lui.

De l'entrée de la cuisine, elle le contempla un moment. Assis à la table, il lisait. Ses traits harmonieux dégageaient une impression de détente. Sa chevelure noire se détachait sur son pull-over bleu pâle.

Soudain, sentant qu'il n'était plus seul, il tourna la tête. Découvrant Jane, il lui décocha spontanément un sourire, un sourire si tendre et chaleureux qu'elle tressaillit et baissa les yeux.

— Je... je vais me coucher, balbutia-t-elle. Tante Elaine dort déjà. Il ne sera pas utile de la veiller cette nuit, elle va beaucoup mieux. Bonne nuit, Nick.

— Bonne nuit, Jane, répondit-il.

Longtemps après son départ, il considérait encore, d'un air songeur, l'endroit où elle s'était tenue...

Alors qu'elle s'attendait à connaître d'interminables heures d'insomnie, Jane sombra au contraire dans le sommeil dès qu'elle posa la tête sur son oreiller. Certes, des pensées douloureuses et contradictoires tourmentaient son esprit, mais son corps fatigué par le manque de repos consécutif à la maladie de Mme Butler l'emporta.

Son esprit ne se laissa toutefois pas imposer un silence total. Il se vengea en peuplant sa nuit de toutes sortes d'images, ébauches de rêves, ou plutôt de cauchemars. Elle revit Sylvia présentant son panier argenté à Mme Butler. Elle imagina la jeune fille la chassant de l'Ermitage avec un ricanement diabolique. Puis Mme Butler lui apparut. Elle se débattait, le visage rouge et congestionné, en proie à une forte fièvre. Elle pleurait, elle criait qu'elle ne devait pas mourir afin de protéger l'Ermitage des projets destructeurs de Sylvia. En arrière-plan, Nick arborait une mine sombre, il ne disait rien, et une tristesse infinie s'exprimait dans son regard. Un flot d'amour et de désespoir envahit alors Jane.

Elle retrouva ensuite sa propre tante chez elle, dans le Devon. Le soleil brillait haut dans le ciel. Soudain, elle entendait des coups frappés quelque part. C'était Nick, elle le savait, et elle le suppliait de repartir, car rien n'était possible entre eux.

Et tout à coup, elle se redressa d'un bond dans son lit. Elle ne rêvait plus cette fois. Elle avait bel et bien entendu un bruit dans la maison, un petit bruit discret, indéfinissable.

Elle tendit l'oreille. Quelques secondes plus tard, le bruit se répéta. Le plancher craquait. Sur le palier ? se demanda-t-elle. Non, elle commençait à connaître la demeure. Le son provenait du hall. Quelqu'un était en train de traverser le hall sur la pointe des pieds.

S'agissait-il de Nick ? Elle consulta le réveil posé sur la table de chevet. Pourquoi se serait-il promené dans le hall à deux heures du matin, et surtout sur la pointe des pieds ?

Elle se leva, enfila sa robe de chambre et sortit doucement de la pièce. Tendant à nouveau l'oreille, elle ne perçut plus rien. Seule l'horloge marquait le temps de son battement familier et rassurant.

Elle descendit alors l'escalier à pas de loup. Au moment où elle atteignait la dernière marche, un nouveau bruit confirma ses soupçons. Quelqu'un se mouvait dans le hall. Il se produisit un petit tintement, comme si l'on manipulait un objet en verre ou en porcelaine, suivi d'un curieux bruissement.

Plissant les yeux, Jane s'efforça de percer l'obscurité. Elle y distingua une forme vague, ombre dans l'ombre, qui se déplaçait avec agilité. S'agissait-il de Nick ? Elle se reposa la question malgré elle. Mais non, la silhouette était trop petite et trop large.

Elle se décida brusquement à tendre la main vers l'interrupteur et la lumière jaillit. La silhouette pivota sur elle-même en moins d'un instant tandis que résonnait un juron furieux.

Jane reconnut immédiatement le démarcheur qui les avait importunées avec tant d'audace, Mme Butler et elle. Il se tenait près du porte-parapluies. Auprès de lui sur le sol, elle découvrit un énorme sac dans lequel elle aperçut certains bibelots de la vitrine du salon.

Pendant qu'elle examinait les objets, ouvrant de grands yeux, l'homme s'élança vers elle. Paralysée par la stupeur, elle ne songea pas à s'enfuir. Un petit cri s'échappa de ses lèvres, puis elle appela :

— Nick, au secours !

Une main vigoureuse se plaqua contre sa bouche, la

réduisant efficacement au silence, tandis que le malfaiteur la tirait par les cheveux pour lui cogner la tête contre le mur. Le choc fut terrible. Avec un gémissement, elle s'écroula sur le sol.

10

Longtemps après avoir repris conscience, Jane resta encore étendue à terre, incapable de bouger, foudroyée par la douleur. Enfin, celle-ci s'atténua un peu. Tout doucement, elle réussit à ouvrir les yeux, les sons du monde extérieur lui parvinrent à nouveau.

Elle se redressa à grand-peine, les mains pressées contre ses tempes où le mouvement réveilla une souffrance lancinante. Chaque geste lui coûtait des efforts démesurés, mais elle devait se lever.

Soudain, à travers un brouillard, elle crut discerner une forme qui se détachait en noir sur la lumière de la cuisine. Elle s'efforça de mieux fixer son regard sur cette silhouette dressée devant elle.

— Nick ! s'écria-t-elle tout à coup.

En moins d'une seconde, il arriva auprès d'elle, la soutenant, l'aidant à se mettre debout.

— Mon Dieu, Jane, que vous a-t-il fait ? Venez, du courage ! Je suis là !

— ... voleur..., murmura-t-elle faiblement, ne songeant pas à elle-même, mais à l'homme qui s'était introduit à l'Ermitage.

Ses lèvres lui semblèrent de plomb et elles remuèrent à peine pour articuler ce mot auquel elle ne put rien ajouter.

— Je me suis déjà occupé de lui, annonça Nick d'une voix apaisante. Il ne vous fera plus de mal, je l'ai ligoté avec la corde à linge.

A cette nouvelle, Jane éclata d'un petit rire nerveux. Nick prit son visage entre ses mains et le tourna vers la lumière.

— Vous saignez ! s'exclama-t-il sur un ton affolé.

— Ce... n'est... rien, assura-t-elle machinalement.

— Venez dans la cuisine. Je veux vous examiner, fit-il d'une voix rendue brusque par l'émotion.

— ... police..., murmura-t-elle encore, sans pouvoir former une phrase.

— Oui, vous avez raison, concéda-t-il. Je ne vous laisse qu'un instant.

Dès qu'il la quitta, elle s'appuya contre le mur et referma les yeux avec un soulagement indicible. La lumière constituait une torture et elle retrouvait l'obscurité avec délices.

Hélas, Nick ne lui accorda qu'un bref répit. Faisant preuve d'une grande douceur, il la prit par le bras et l'entraîna avec lui.

Le voleur était étendu sur le sol de la cuisine, les poignets et les chevilles solidement attachés. Lorsque Jane passa auprès de lui d'un pas hésitant, il lui décocha un coup d'œil haineux.

— La police arrive, lui annonça Nick d'une manière méprisante et sarcastique.

Il ne répondit pas. Sans plus se soucier de lui, Nick désigna un siège à Jane et apporta une cuvette remplie d'eau. Pendant qu'il lui nettoyait le front avec de petits gestes précautionneux, elle garda les paupières closes.

— Vous allez avoir une vilaine bosse, déclara-t-il. Heureusement, la blessure ne me semble pas grave malgré le saignement. Bientôt, vous serez parée de toutes les couleurs de l'arc-en-ciel.

Il tentait de lui parler sur un ton léger afin de l'aider à

134

se détendre, mais quand il se tourna vers le voleur, il arborait une expression extrêmement dure.

— Je regrette de ne pas vous avoir frappé plus fort, affirma-t-il. Si vous n'étiez pas ligoté, je vous donnerais la leçon que vous méritez, abominable lâche ! S'attaquer à une jeune fille...

La voix coupée par l'indignation, il ne put achever sa phrase. Il serra les poings, se retenant à grand-peine de se jeter sur le malfaiteur.

La police se présenta sur ces entrefaites. Elle questionna brièvement Nick, le pria de se rendre au commissariat au cours de la matinée avec Jane et prit l'homme en charge.

L'un des officiers conseilla à Nick d'appeler le docteur pour la blessée.

— Elle peut souffrir d'une petite commotion, lui expliqua-t-il. Il faut se montrer prudent pour tous les coups à la tête.

— Je vais l'appeler, assura Nick.

L'officier s'empara aussi du sac que le malfaiteur avait empli de bibelots en déclarant :

— Je suis obligé d'emporter ces objets. Ils vous seront restitués dans les plus brefs délais. Je vous prie d'en dresser l'inventaire et je vous délivrerai un reçu.

Nick examina le contenu du sac, puis rédigea rapidement une liste que l'homme signa après l'avoir contrôlée.

Avant de partir, les policiers félicitèrent encore Nick d'avoir su neutraliser le voleur.

— C'est vous qu'ils auraient dû féliciter ! dit-il à Jane quand il se retrouva seul avec elle. Je n'avais rien entendu. Je ne me suis réveillé que lorsque vous avez crié mon nom. Sans vous, il aurait pu opérer en toute tranquillité. Nous vous devons beaucoup.

— J'ai été alertée par des bruits suspects, raconta modestement la jeune fille.

— Cette fois, j'ai une dette immense envers vous, poursuivit-il. Comment vais-je m'en acquitter ?

Jane abaissa son regard sur ses mains qu'elle nouait et dénouait sans s'en rendre compte sous l'effet de la nervosité. Elle ne parvenait pas à formuler une réponse cohérente.

— Tout... tout le monde aurait agi comme moi, balbutia-t-elle finalement.

Et tout à coup, en rougissant d'une façon spectaculaire, elle ajouta malgré elle :

— D'ailleurs, je ne veux pas de votre gratitude !

S'emparant de ses doigts qu'elle tordait d'un air si malheureux et les immobilisant entre les siens, Nick lança sur un ton étrange :

— Alors que voulez-vous, Jane ?

Elle se mordit les lèvres. Son cœur battait à tout rompre et elle ne lui répondit pas.

Après quelques instants de silence dans une atmosphère oppressante, il la relâcha en annonçant :

— Je vais appeler le médecin.

— Non, pas au milieu de la nuit ! protesta-t-elle. Il m'examinera demain matin lorsqu'il passera pour tante Elaine. De toute façon, je n'ai rien.

Après une brève hésitation, Nick consentit à attendre, et Jane s'enfuit dans la chambre sans demander son reste, tandis qu'il remettait de l'ordre dans la cuisine. Ensuite, il éteignit la lumière et monta à son tour.

Le lendemain, pendant qu'elle faisait la vaisselle, Jane se souvint tout à coup d'avoir vu le voleur auprès du porte-parapluies, lorsqu'elle avait allumé les lampes du hall.

Déjà, lors de son premier passage, il s'y était vivement intéressé. L'objet possédait-il par hasard plus de valeur que Mme Butler ne le soupçonnait ?

Elle lui posa à nouveau la question un peu plus tard

en lui apportant un bol de lait chaud, mais la vieille dame se borna à éclater de rire.

— Cette horreur ne vaut pas un sou ! assura-t-elle. Il s'agit de l'un des plus infâmes exemples de la production victorienne.

— Il ne me déplaît pourtant pas, affirma Jane.

Mme Butler la considéra avec un amusement mêlé de tendresse.

— Si vous désirez vraiment être fixée, appelez donc un expert. Il y a un magasin d'antiquités nommé Pan's Cellar sur la route de Malden. Son propriétaire est une personne de toute confiance. Qu'il vienne, il nous donnera une estimation.

Jane s'empressa de téléphoner à cet homme afin de ne pas laisser à Mme Butler le temps de changer d'avis. Dès qu'elle prononça le mot Ermitage, il parut très désireux d'accéder à la requête de la jeune fille, et il promit de passer au cours de l'après-midi.

Il arriva en même temps que le médecin qui était en retard ce jour-là. Jane pria ce dernier de monter sans elle auprès de Mme Butler tandis qu'elle restait avec l'autre dans le hall.

Elle raconta à l'antiquaire la tentative de vol qui s'était produite durant la nuit. Il l'écouta avec attention tout en examinant le porte-parapluies sous tous les angles.

— J'aimerais le voir sous un meilleur éclairage, déclara-t-il en le soulevant avec précaution.

Jane le mena dans le salon où il promena un regard curieux avant de se concentrer sur l'objet. Il l'étudia encore un long moment.

Jane épiait ses réactions, cherchant à lire dans ses pensées. Enfin, il releva la tête, l'air satisfait, et glissa sa loupe dans la poche de son veston.

C'était un homme grand et maigre, aux cheveux grisonnants. Son regard bleu brillait d'un éclat pâle et froid, son nez fin et le modelé délicat de sa bouche lui conféraient une allure poétique. Jane ne le jugea pourtant pas absolument sympathique.

— Mes compliments, déclara-t-il. Vous y connaissez-vous en antiquités ?

— Non, pas le moins du monde, avoua-t-elle en secouant la tête.

— Dans ce cas, la chance vous a souri. Il s'agit d'une belle porcelaine chinoise du seizième siècle, un objet de grande valeur.

Il s'était exprimé sur un ton très mesuré, sans trahir la moindre exaltation à propos de cette découverte.

Ravie d'avoir eu une intuition juste, Jane ne résista pas au plaisir de lui dire :

— Mme Butler pensait qu'il datait de l'époque victorienne.

— On a en effet produit beaucoup d'imitations en cette période, et même avant. Nos artisans copiaient les vases rapportés par des voyageurs, les gens les appréciaient énormément. Mais celui-ci est authentique.

Il promena ses doigts le long du vase avec délicatesse et répéta :

— Tout à fait authentique.

Emue, Jane glissa :

— C'est un miracle qu'il soit parvenu jusqu'à nous.

— Un vrai miracle, en effet, surtout après avoir été utilisé comme porte-parapluies ! Que va en faire Mme Butler, à présent ? Si elle désire le vendre, je peux m'en charger pour elle. J'ai justement un client américain, très riche, qui le lui achèterait un bon prix.

— Il faut d'abord que je lui en parle, expliqua Jane en souriant. Elle était loin de se douter de l'origine de ce vase. Je vais l'en informer.

Lorsqu'elle monta rejoindre Mme Butler, elle trouva le médecin auprès d'elle. Il n'était plus question de sa maladie, et elle était en train de bavarder avec lui comme avec un ami.

Dès que Jane entra, Mme Butler lui demanda de

l'examiner, ce qu'il fit très gentiment. Il la rassura tout à fait : sa blessure était bénigne.

— Mais vous avez eu mal et vous souffrez encore, n'est-ce pas ? lança-t-il en caressant la joue de la jeune fille en un geste paternel. Un peu de patience ! J'ai bien peur de ne rien pouvoir faire pour vous soulager. Prenez de l'aspirine, mais n'en abusez pas.

Après le départ du médecin, Jane annonça à Mme Butler la grande nouvelle concernant le porte-parapluies. Son enthousiasme perçait à travers ses paroles et la vieille dame la considérait en souriant.

— Il faut consulter Nick, déclara-t-elle. N'oubliez pas que ce vase lui appartient.

— C'est vrai ! accorda Jane en rougissant.

Elle redescendit à la hâte et expliqua à l'antiquaire que le propriétaire du vase se mettrait éventuellement en contact avec lui par la suite s'il envisageait de le vendre. L'homme renonça alors à percevoir les honoraires qu'il avait demandés pour l'expertise.

— Si vous le voulez bien, je les compterai dans ma commission au cas où M. Adams déciderait de vendre.

Nick arriva une demi-heure plus tard afin de conduire Jane au commissariat de police où elle devait faire une seconde déposition. Lorsqu'elle l'informa à son tour de la valeur insoupçonnée du porte-parapluies, il ne comprit d'abord pas de quoi elle lui parlait.

— Quel vase chinois ? lança-t-il en fronçant les sourcils. Vous voulez dire ce... ce vieux pot que nous avons dans le hall !

— Il est chinois et il date du seizième siècle, affirmat-elle, la mine radieuse. J'avais vu le voleur s'y intéresser et tante Elaine m'a autorisée à faire venir un antiquaire pour l'expertiser. Il vous propose de le vendre à un Américain. D'après lui, c'est un objet d'une grande valeur.

Nick la fixait soudain d'un air bizarre.

— Vraiment ! Vous êtes infatigable, Jane ! Depuis

votre arrivée à l'Ermitage, vous avez soigné ma tante, vous vous êtes occupé des animaux, vous nous avez permis d'échapper à un cambriolage, et vous venez de découvrir un trésor ! Bravo ! Bravo !

Jane devint écarlate et elle dut détourner la tête afin de dissimuler à Nick les larmes qui emplissaient ses yeux. Pourquoi s'exprimait-il sur ce ton si ironique ? Pourquoi la provoquait-il si méchamment ? Quel crime avait-elle commis pour mériter ce regard dur, moqueur, et ce sourire lourd de sarcasmes ?

— Il va bientôt falloir que je songe à me rendre utile ailleurs, répliqua-t-elle avec une légèreté forcée. Je compte chercher un nouvel emploi dès demain. Tante Elaine n'a plus besoin de moi. J'ai fait tout ce que je pouvais pour elle.

— Pour nous tous, compléta Nick d'une voix toujours aussi étrange, oscillant entre la colère et la dérision. Vous allez donc partir, Jane ? Vous nous manquerez.

A la manière dont il prononça ces derniers mots, elle crut comprendre le contraire. Comme il avait hâte de se débarrasser d'elle !

Ils allèrent ensuite au commissariat de police en confiant la garde de Mme Butler à Mme Pepper. Assis dans une salle d'attente, ils n'engagèrent pas de conversation. Chacun étudia les posters accrochés aux murs, feuilleta des magazines, et une vingtaine de minutes s'écoulèrent ainsi. Enfin, on les invita à pénétrer dans deux pièces différentes afin de les interroger séparément. Au bout d'un entretien interminable, ils se retrouvèrent, fatigués et las. Nick était furieux.

— Maudite bureaucratie ! s'écria-t-il sur la route du retour. La terre n'explosera pas à cause de la bombe atomique, elle croulera bien avant sous le poids de la paperasserie ! Pourquoi doivent-ils tout écrire en trois exemplaires, pourquoi nous ont-ils posé cent fois les mêmes questions ?

— Ils se sont montrés très aimables, glissa timidement Jane. Ils m'ont même apporté du thé et des gâteaux secs.

A ces mots, Nick ne se contint plus :

— Et par-dessus le marché, vous me chantez leurs louanges ! Il ne manquait que cela ! Sylvia a raison. Il faut se défendre contre des gens comme vous et tante Elaine.

— Inutile de vous défendre contre moi puisque je m'en vais, répliqua Jane sur un ton glacial.

La colère de Nick tomba d'un coup. Quittant un instant la route des yeux, il l'observa à la dérobée et murmura :

— Pardonnez-moi, Jane. Je ne sais plus ce que je dis. Je suis odieux. Ce sont toutes ces émotions sans doute.

Il se tut et roula un moment en silence. Tout à coup, il lança à brûle-pourpoint :

— Avez-vous réussi à convaincre ma tante de quitter l'Ermitage ?

— J'ai essayé.

— Et que vous a-t-elle répondu ?

Jane étouffa un soupir.

— Je suis désolée, mais...

— Elle refuse toujours, devina-t-il, les sourcils froncés, l'air accablé.

— Elle était malade, je n'ai pas eu la possibilité d'insister beaucoup, expliqua Jane. Elle considère l'Ermitage comme son foyer. Partir risque de la tuer.

— Croyez-vous que je n'y ai pas pensé ? lança Nick en tournant vers sa passagère un visage tourmenté. Ne lui dites plus un mot à ce sujet, car j'ai changé d'avis.

Jane resta d'abord bouche bée, n'osant imaginer avoir bien entendu. D'une toute petite voix, elle se risqua à répéter :

— Vous avez changé d'avis, Nick ?

— Je ne peux pas exiger que ma tante quitte une maison où elle a vécu tant d'années. Ce serait cruel d'infliger cette épreuve à une personne de son âge. Il faut trouver une solution plus satisfaisante pour tout le monde.

Jane hocha la tête. Elle tenta de se représenter la réaction de Sylvia face à une telle décision. Elle décocha à Nick un coup d'œil plein de compassion. Il n'arrivait pas encore au bout de ses peines. Elle nota son expression déterminée, ses lèvres serrées, trahissant une résolution farouche, sa mâchoire raidie, ses mains rigides sur le volant. Il semblait en proie à un terrible conflit intérieur.

Un autre moment passa, puis il déclara d'une voix un peu hésitante :

— Jane, attendez un peu avant de chercher un nouveau travail. Ma tante a encore besoin de vous.

Il hésita un instant, puis ajouta très vite, d'un seul trait :

— Nous avons encore tous besoin de vous.

11

Jusque dans les moindres détails, la réception de Sylvia fut une réussite. Conformément à son souhait, il fit un temps magnifique. Quelques étoiles scintillaient dans un ciel d'un beau bleu sombre et pur. Un fin croissant de lune brillait parmi elles. Du sud, soufflait un petit vent très doux, et elle put organiser sans crainte le dîner dans le jardin de sa maison.

Elle appartenait à une bonne famille bourgeoise dont la demeure massive trahissait l'aisance. Il s'agissait d'une construction moderne, aménagée à grands frais, quoique sans imagination. Et Sylvia était peut-être lasse de ce confort sans âme. Peut-être fallait-il voir là l'origine de sa passion pour l'Ermitage où elle trouvait le charme et le romantisme.

L'argent ne lui manquait pas, de toute évidence, et elle s'intéressait certainement moins à la fortune de Nick qu'à sa propriété. En dépit de leurs moyens, ses parents n'auraient pu lui offrir le style de vie qu'elle rêvait de mener à l'Ermitage après avoir réaménagé la belle maison à son goût.

Ce soir-là, elle ne quittait pas Nick, s'accrochant à son bras d'une manière possessive. Jane la comparait malgré elle à un serpent argenté.

Elle portait un fourreau en lamé qui, pour paraître un

peu déplacé à l'occasion de ce repas champêtre, n'en produisait pas moins un effet saisissant. La lumière des projecteurs allumés à intervalles réguliers dans l'herbe jouait sur le tissu scintillant.

L'observant, Jane remarqua qu'elle ne s'éloignait jamais beaucoup de l'endroit où était installé le barbecue. Afin de ne pas salir ses escarpins sans doute, elle prenait garde de toujours marcher sur les planches posées là.

Des volutes de fumée de cigarettes tourbillonnaient dans l'air où flottait un délicieux parfum de viande rôtie, agrémentée de thym, de romarin et d'origan.

Pour se rendre à l'invitation de Sylvia, Jane s'était très simplement vêtue d'un pantalon et d'un pull-over chaud. A son grand soulagement, plusieurs personnes avaient adopté des tenues similaires. De toutes les femmes, Sylvia était sans conteste la plus élégante, et maints regards suivaient chacun de ses mouvements, les uns avec admiration, les autres avec jalousie ou désapprobation.

Soudain, Nick s'approcha de Jane pour lui offrir une boisson dans un gobelet en carton.

— Veuillez me pardonner de ne pas vous avoir servie dans un verre. Rassurez-vous, personne n'en a, car il serait dangereux d'en casser dans le noir.

Le remerciant, Jane goûta le punch qu'il avait choisi pour elle. Elle lui trouva un goût étrange qui amena une petite moue sur ses lèvres.

— C'est original, n'est-ce pas? lança-t-il avec un sourire amusé. Qu'en pensez-vous?

La première surprise passée, Jane en apprécia la saveur et elle lui adressa des compliments.

Sylvia ne tarda pas à les rejoindre. Des bracelets tintèrent à son poignet lorsqu'elle glissa une fois de plus son bras sous celui de Nick et posa une main blanche sur son veston bleu marine.

— Nick, l'un de nos invités désire vous parler, annonça-t-elle en feignant d'ignorer Jane.

Son intonation faussement aimable sous-tendait une menace implicite. Son sourire cachait une humeur orageuse.

Un petit orchestre était en train de prendre position dans le jardin. Il s'agissait de jeunes musiciens vêtus de costumes bariolés, ornés de sequins. Le son de leurs guitares électriques attira bientôt de nombreux invités vers eux.

Après les avoir écoutés un moment sans bouger, les gens commencèrent à danser. La pelouse soigneusement tondue le jour même ne gênait pas leurs évolutions.

Nick dansa avec Sylvia, penchant sa tête brune vers sa tête blonde, serrant dans ses bras son corps souple, paré de reflets argentés.

La gorge nouée, Jane les observa jusqu'au moment où son regard rencontra celui de Nick. Confuse, elle se détourna précipitamment.

Elle aperçut alors l'inconnu élégant qu'elle avait vu à deux reprises en compagnie de Sylvia. Sir Rodney Ashton suivait lui aussi des yeux la jeune fille et son cavalier, et son expression trahissait une imperceptible tristesse.

Jane éprouva une vive compassion pour cet homme. Sylvia le fascinait, il semblait envoûté. Certes, elle était d'une grande beauté, mais cette beauté aveuglait-elle les hommes au point de leur masquer sa dureté et son égoïsme ?

Tout à coup, comme s'il avait senti le regard de Jane peser sur lui, Sir Rodney pivota vers elle. Surprise, elle s'empourpra. Celui-ci sourit alors et s'approcha d'elle, l'air aimable.

— M'accorderez-vous cette danse ? lui demanda-t-il d'une voix chaude et agréable.

L'espace d'une seconde, elle resta indécise. Toutefois, ne pouvant refuser sans paraître impolie, elle se trouva dans l'obligation d'accepter.

Il dansait extrêmement bien et, bénéficiant de l'occasion de l'étudier de plus près, Jane le trouva plus attirant qu'elle ne l'avait imaginé. Il n'était plus très jeune, bien sûr, mais il avait sans aucun doute été très séduisant et il lui restait encore beaucoup de charme. Il possédait en outre des manières aisées et détendues qui jouaient en sa faveur.

Très affable, il questionna Jane et apprit avec intérêt qu'elle travaillait à l'Ermitage. Jane le vit décocher un étrange coup d'œil à Nick, puis un léger amusement se peignit sur son visage.

— Et comment vous entendez-vous avec Mme Butler ? s'enquit-il avec un soupçon d'ironie.

Sir Rodney était au courant de la situation grâce à Sylvia, supposa Jane, et sa curiosité l'incitait à vouloir connaître une autre version des faits.

— Je me suis profondément attachée à elle, répondit-elle, faisant preuve d'une franchise totale. Elle se montre très bonne pour moi, elle a un cœur d'or.

— Elle aime les animaux, paraît-il. Elle les préférerait même aux êtres humains !

Sir Rodney prononça ces paroles avec un petit rire, puis épia la réaction de sa cavalière.

— Elle aime les animaux, en effet, accorda Jane, mais rien ni personne ne lui est plus précieux que son neveu, j'en suis certaine.

— Vraiment ! lança Sir Rodney d'un air sceptique. Elle s'oppose pourtant à son mariage. Il s'agit de toute évidence d'une femme très possessive.

Jane secoua la tête.

— Elle n'est pas possessive, murmura-t-elle.

— Alors expliquez-moi pourquoi elle lui crée tant de difficultés ? s'enquit-il en plongeant son regard dans celui de sa compagne.

Embarrassée, Jane ne chercha cependant pas à l'esquiver, et elle n'hésita qu'un instant avant de répliquer :

— Il ne m'appartient pas de vous expliquer quoi que ce soit.

— Vous avez raison, admit-il aussitôt.

Ils dansèrent un moment en silence, passant à plusieurs reprises auprès de Nick et de Sylvia qui les considérait d'un air hautain en fronçant les sourcils. Quant à l'architecte, il fixa Jane d'une façon si sévère qu'elle baissa les yeux sans comprendre ce qui lui valait cette désapprobation.

Sir Rodney assista à la brève scène muette avec une certaine satisfaction, puis il émit un petit sifflement tandis qu'un étrange sourire se dessinait sur ses lèvres. Jane tressaillit malgré elle dans ses bras.

Lorsque le morceau de musique s'acheva, son cavalier l'entraîna vers les tables disposées près du barbecue. Jimmy Whitney se trouvait là, debout, une assiette à la main.

Comme il adressait un grand sourire à Jane, Sir Rodney lui demanda :

— Est-ce un de vos amis ? Il me semble l'avoir déjà vu quelque part.

Jane se chargea de présenter les deux hommes l'un à l'autre. Très aimable, Jimmy resta cependant réservé et au bout de quelques instants, il se débarrassa de son assiette afin d'inviter Jane à danser.

Timidement, la jeune fille pria Sir Rodney de l'excuser et elle suivit Jimmy qui passa un bras autour de sa taille. Les couples étaient moins nombreux auprès de l'orchestre, beaucoup de gens ayant abandonné la danse pour dîner.

— Je me suis acheté une nouvelle voiture, annonça fièrement Jimmy.

— Encore une ! s'exclama Jane.

Elle éclata de rire, prenant plaisir à taquiner le jeune homme.

— Comment faites-vous ? Votre père n'est-il pas fâché que vous investissiez tout votre argent dans des voitures ?

— A chacun ses plaisirs, répliqua-t-il sur un ton beaucoup moins triomphant.

Jane en déduisit qu'elle avait deviné juste. M. Whitney n'appréciait certainement pas les dépenses de son fils.

— C'est une passion innocente, affirma-t-elle alors en manière de réconfort.

Jimmy ne répondit pas, mais le silence qui s'instaura entre eux fut chaleureux et amical.

Soudain, Jimmy arbora un nouveau sourire pour suggérer à sa compagne :

— Pourquoi ne viendriez-vous pas voir ma voiture ? Je vais même vous emmener faire un petit tour. Ainsi, vous pourrez me dire ce que vous en pensez. Elle monte à deux cents kilomètres à l'heure. Je l'ai essayée sur l'autoroute. La sensation est fantastique. On a l'impression de décoller du sol.

Jane frissonna à cette idée.

— Je suis désolée, Jimmy, mais j'ai peur de la vitesse. Je préfère garder les deux pieds sur terre !

— Vous êtes lâche ! railla-t-il gentiment. Allons, faites un effort !

Tandis qu'il parlait, Jane croisa encore une fois le regard de Nick et elle regretta soudain de ne pas porter une tenue plus féminine, une jupe qui aurait ondulé autour d'elle, amplifiant chacun de ses mouvements, leur conférant de la grâce. Nick haussa les sourcils et esquissa une moue cruelle, comme s'il se moquait d'elle, comme s'il la tournait en dérision. Et lorsqu'il détacha son regard du sien pour adresser un sourire à Sylvia, toujours éblouissante dans son fourreau argenté, Jane sentit déferler en elle une vague de colère.

— Après tout, pourquoi ne ferais-je pas une promenade dans votre nouvelle voiture, Jimmy? lança-t-elle obéissant à une impulsion.

Le jeune homme se montra ravi de sa décision.

— Vraiment! Vous acceptez! Vous allez voir! Il n'y a personne à cette heure par ici, nous aurons la route pour nous seuls! s'écria-t-il avec enthousiasme.

Regrettant déjà sa décision, Jane déclara :

— Vous ne roulerez tout de même pas trop vite, Jimmy.

— Ne craignez rien, assura-t-il en lui souriant d'un air encourageant.

En quittant le jardin, ils croisèrent Sir Rodney qui se tenait à l'écart des autres. Appuyé contre le tronc d'un arbre, sa silhouette se confondait avec celui-ci dans la nuit, il semblait plongé dans une profonde méditation. Il se redressa toutefois pour sourire à Jane et lui lancer sur un ton un peu étrange :

— Vous ne partez pas déjà, j'espère?

— Nous allons revenir, affirma Jimmy, très à l'aise.

— J'attends votre retour avec impatience, déclara-t-il alors à Jane en s'inclinant brièvement d'une manière courtoise.

Tandis qu'il se dirigeait avec la jeune fille vers sa voiture, Jimmy la questionna avec curiosité .

— Comment avez-vous réussi à faire la connaissance de Sir Rodney?

— Il m'a tout simplement invitée à danser, répondit-elle.

Elle s'immobilisa soudain devant un véhicule rouge aux chromes rutilants, avec une exclamation de surprise :

— Mon Dieu! Est-ce là votre nouvelle voiture?

— Elle est splendide, n'est-ce pas?

Avec une fierté de propriétaire, Jimmy caressait la carosserie éblouissante.

— Montez et vous verrez de quoi elle est capable!

Plus Jimmy accélérait, plus l'air fouettait le visage des

deux jeunes gens. Jane laissa échapper un petit cri et, avec un sourire, il consentit à ralentir pour prendre un virage. Les haies vertes des propriétés défilaient sur leur droite et sur leur gauche. A l'horizon, une brume blanchâtre s'élevait des marais et au-dessus d'eux, le ciel parsemé d'étoiles déployait ses immensités limpides.

Le sillon lumineux des phares les précédait. Ils dépassaient de ravissants cottages peints en blanc, qui semblaient sommeiller au milieu de jardins soigneusement entretenus.

Jimmy arborait une expression d'intense concentration pour conduire. A ses côtés, bien calée dans son siège et délivrée de l'appréhension des premiers instants, Jane rêvait les yeux ouverts. Se surimposant au paysage, les traits de Nick lui apparurent. Il souriait et la regardait tendrement. Un soupir inaudible passa ses lèvres tandis que son cœur s'emplissait d'une poignante mélancolie.

Et tout à coup, une vive lumière chassa sa vision, une musique tonitruante couvrit sa mélodie intérieure. La voiture revenait à son point de départ.

— Regardez ! s'exclama Jimmy sans se rendre compte qu'il tirait sa compagne de ses songes. Si nous ne nous dépêchons pas, nous n'aurons plus rien à manger !

Jane le suivit à pas lents, retrouvant à regret le bruit et l'agitation de la réception. Elle aurait volontiers continué à se promener à travers la campagne durant le reste de la nuit.

Remerciant Jimmy avec un sourire, elle affirma :
— C'était merveilleux !

Ravi, il se pencha vers elle et, la prenant par les épaules, déposa un baiser sur sa bouche.

Lorsqu'il se redressa, il heurta presque Nick qui arrivait derrière lui. Dissimulant de son mieux son embarras, il lança :
— Bonsoir, Nick ! Pourquoi n'êtes-vous pas avec les autres ?

— Où aviez-vous disparu ? s'enquit l'architecte sans daigner lui répondre.

Son intonation trahissait une colère difficilement contenue qui s'exprimait aussi sur son visage.

— Nous avons fait un tour, répliqua le jeune homme avec une pointe de défi. Qu'y a-t-il de mal à cela ?

— Oui, Nick, qu'y a-t-il de mal à cela ? répéta une voix sarcastique.

Nick se figea un instant sous l'effet de l'étonnement, puis il se tourna lentement vers Sylvia qui se tenait à quelques mètres d'eux. La rage défigurait ses jolis traits. Ses yeux étincelaient de fureur et elle pinçait les lèvres qui ne formaient plus que deux lignes dures.

Près d'elle, discret et patient, Sir Rodney observait la scène avec curiosité. Une lueur d'amusement dansait dans son regard tandis que sa chevelure argentée lui conférait une allure très digne.

— Eh bien, Nick, vous ne dites rien ? s'écria encore Sylvia.

Nick garda le silence. Ses mains enfoncées dans ses poches et son maintien rigide indiquaient combien il luttait pour conserver son sang-froid.

Soudain, Jimmy éclata de rire et, passant un bras autour de la taille de Jane, tenta de plaisanter :

— Venez, ma chère. Rejoignons les autres. Nick a de nouveau joué les pères tyranniques !

Nick ne fit aucun mouvement pour les retenir. Toutefois, sa mine s'assombrit encore tandis qu'il les voyait s'éloigner. Son attitude révélait clairement ses sentiments, aussi Sylvia s'approcha-t-elle de lui, avec détermination.

— Je suis désolée, Nick, annonça-t-elle à haute et intelligible voix, mais nous sommes engagés dans une impasse. Je n'ai pas l'intention d'attendre la mort de votre tante et, de son vivant, elle ne cédera pas davantage dans six mois qu'aujourd'hui. Il vaudrait mieux en finir tout de suite.

Nick fixa intensément la jeune fille sans esquisser le moindre geste, sans prononcer un mot. Quand elle retira sa bague de fiançailles et la lui tendit, il se borna à refuser, d'un signe, de la reprendre.

— Je vais épouser Sir Rodney, annonça encore Sylvia. Il n'a pas de tante, lui !

Elle pivota sur elle-même afin de rejoindre Sir Rodney qui s'empara de sa main pour la porter jusqu'à ses lèvres. Ensuite, il lui passa au doigt une énorme émeraude qu'elle contempla rêveusement avant de le remercier d'un baiser.

Jimmy et Jane s'étaient arrêtés au milieu du chemin et ils suivaient le déroulement des événements avec une profonde incrédulité. S'inclinant d'une manière ironique, Jimmy lança à Sylvia :

— Toutes mes félicitations. Je vous tire mon chapeau !

Puis, se tournant vers Sir Rodney, il ajouta plus bas :

— Vous allez épouser la plus belle créature de la région, Sir, mais je vous conseille de bien la surveiller. Je suis un connaisseur, n'oubliez pas mon avertissement.

— Quelle insolence ! protesta Sylvia.

Sir Rodney étudia Jimmy sans se départir de son calme et répliqua soudain sur un ton plein d'humour :

— Seriez-vous jaloux par hasard, jeune homme ?

Comme Jimmy se détournait en rougissant, Sylvia éclata d'un rire moqueur. Avec une moue coquette, elle caressa la joue de son nouveau fiancé en s'exclamant :

— Bien répondu, mon chéri !

Jane ne parvenait pas à se remettre de sa surprise. Que Sylvia se fût subitement décidée à trancher dans le vif afin de sortir de cette situation sans issue, qu'elle en eût pris l'initiative, la laissait ahurie.

Comment réagissait Nick dans cette affaire ? Il n'avait absolument rien dit, ni rien fait. Il se tenait toujours au même endroit, dans l'ombre, et arborait une expression énigmatique. Que pensait-il en cet instant ? Souffrait-il ? Depuis quelque temps, Jane le soupçonnait sérieusement de ne plus être amoureux de Sylvia. Elle s'était même imaginée que... Affolée, elle se détourna soudain en frémissant.

— Approchez, lui commanda alors Nick, devinant qu'elle songeait à s'enfuir.

Elle le considéra d'un air indécis. Derrière elle, les gens continuaient à danser et à bavarder dans la lumière et la musique. Nick l'attendait, le dos contre la haie d'aubépine dont les fleurs, tels de petits flocons blancs, s'envolaient au moindre souffle de vent, puis tombaient, semblables à des confettis sur ses cheveux noirs et sur ses épaules. Jane s'avança lentement en riant malgré elle de ce spectacle comique.

— Qu'y a-t-il de si drôle ? s'enquit-il en s'emparant de ses mains et en l'entraînant dans un coin obscur à l'abri de tous les regards.

Jane ne riait plus.

— Vous avez des pétales d'aubépine dans les cheveux, lui dit-elle afin de se donner une contenance.

Nick entendait-il les battements précipités de son cœur ?

— Si jamais je vous surprends à nouveau en compagnie de Jimmy Whitney, vous le regretterez tous les deux ! lança-t-il, ignorant sa remarque.

— Pourquoi ne dois-je plus voir Jimmy ? lui demanda-t-elle de sa voix la plus innocente.

Les doigts de Nick remontèrent jusqu'à ses épaules. Elle dut rassembler tout son courage afin d'affronter son regard. Les lèvres légèrement tremblantes, elle tressaillit en notant son expression déterminée.

— Vous savez très bien pourquoi ! affirma-t-il. Désormais, vous sortirez avec moi !

Il se pencha, et, animés d'une même ardeur, ils échangèrent un long baiser.

Jane éprouvait une joie débordante, si profonde, si

153

intense, qu'elle croyait son cœur sur le point d'éclater. Avait-elle souffert jusqu'à cette nuit ? Avait-elle traversé des périodes difficiles ? Elle en perdit même le souvenir.

Plus tard, la tenant serrée contre lui, Nick lui chuchota à l'oreille :

— Dès le premier jour, j'ai su que vous étiez dangereuse, même dans votre vieux manteau en laine. Je ne voyais que votre petit visage si doux, si expressif. J'avais envie de partir très loin avec vous, et j'étais furieux contre moi-même, contre vous et contre le destin qui vous avait mis sur ma route.

— Oh oui, vous étiez furieux ! accorda-t-elle. Combien de fois vous êtes-vous emporté contre moi ?

— Je ne disposais pas d'autre moyen de me défendre. Je vous trouvais merveilleuse, mais j'étais fiancé à Sylvia. Que pouvais-je faire, sinon combattre mes sentiments et les dissimuler sous de l'agressivité ?

Jane hocha la tête d'un air compréhensif.

— Un homme comme vous ne reprend pas sa parole, déclara-t-elle.

— Sylvia a jeté son dévolu sur moi juste au moment où je songeais à m'établir. J'avais envie de vivre dans un véritable foyer, avec une femme et des enfants. Or Sylvia était très belle et elle semblait vivement désireuse de m'épouser. Jamais encore je n'avais été amoureux, aussi ai-je pris une simple attirance physique pour de l'amour. Sylvia me plaisait et j'ai cru l'aimer. Et puis vous êtes arrivée, si modeste, un peu timide, mais tellement adorable, et vous m'avez infligé la plus forte émotion de mon existence. J'ai découvert alors que je n'aimais pas Sylvia, que je ne l'avais jamais aimée et ne l'aimerais jamais. C'était vous, mon seul amour, ma...

Bouleversé, il dut s'interrompre et, tandis qu'il lui couvrait le cou de petits baisers, elle murmura à son tour :

— Mon chéri...

— Si vous saviez l'enfer que j'ai enduré! poursuivit-il après quelques instants. Je me trouvais dans une situation fausse vis-à-vis de Sylvia, comme vis-à-vis de vous. De quel droit pouvais-je vous interdire de sortir avec Jimmy? Je n'en avais aucun et pourtant, j'aurais voulu l'assommer à chaque fois qu'il posait les yeux sur vous! J'ai mal agi en vous embrassant, mais la tentation était trop forte. Quelles solutions me restait-il? Me mettre en colère à tout propos, éviter votre compagnie, oublier ce que je ressentais. Je les ai toutes essayées. La situation empirait cependant de jour en jour. Ce soir, j'ai cru devenir fou pour de bon, juste au moment où Sylvia m'a enfin rendu ma liberté. Elle l'a fait, j'en remercie le ciel! Nous aurions été terriblement malheureux ensemble.

— Sir Rodney lui donnera tout ce qu'elle désire, glissa Jane qui plaignait cependant un peu la jeune fille.

Son intuition lui disait en effet qu'elle n'avait pas renoncé à Nick sans en éprouver des regrets et une souffrance secrète.

Ne relevant pas sa remarque, Nick entraîna Jane jusqu'à sa voiture en décidant :

— Venez, nous allons annoncer la nouvelle à tante Elaine. Elle en sera presque aussi heureuse que moi, d'autant plus qu'elle n'est pas étrangère à cette affaire!

Comme Jane voulait protester, il posa son index sur ses lèvres afin de l'inviter à se taire.

— Je ne vous laisserai pas prétendre le contraire, ma chérie. Je suis sûr de ce que j'avance. Au début, elle ne voyait en vous qu'une alliée contre Sylvia, puis elle s'est aperçue qu'elle avait des chances de réaliser un plan beaucoup plus audacieux. Elle n'a rien négligé pour nous rapprocher l'un de l'autre. Elle est rusée, perfide, diabolique… et je l'adore! Je lui dois une reconnaissance éternelle.

— Je n'étais pour rien dans les complots qu'elle

tramait. Vous me croyez, j'espère ? lança Jane, les joues en feu.

— Mais oui, ma chérie, vous êtes trop franche pour faire une bonne conspiratrice, mais votre comportement allait dans le sens qu'elle souhaitait. Pensez-vous que je n'ai pas remarqué votre réaction le soir où je vous ai embrassée ? Pensez-vous que je n'ai pas vu évoluer vos sentiments ensuite ? Je n'en étais que plus furieux chaque fois que vous voyiez Jimmy. Et vous, ne me dites pas que vous ne vous rendiez compte de rien ?

Elle secoua la tête d'un air espiègle.

— Je me suis trahi des centaines de fois, je vous ai donné des centaines d'occasions de comprendre que je vous aimais. Et vous n'avez pourtant pas renoncé à rencontrer Jimmy. Vous vouliez me provoquer, n'est-ce pas ?

— Non, répliqua-t-elle en rougissant encore. Qu'allez-vous imaginer ? J'avoue être sortie avec lui en partie parce que vous vous y opposiez...

— Nous y sommes ! s'exclama Nick.

— Mais par orgueil, et non pas pour vous rendre jaloux, soutint-elle, l'air soudain grave.

— N'aviez-vous vraiment pas deviné mes sentiments ?

— Je croyais que vous aimiez Sylvia.

A ces mots, Nick l'enlaça plus étroitement pour l'embrasser.

— Sylvia était un mirage et quand le mirage s'est évanoui, c'est vous que j'ai vue. Et vous êtes beaucoup plus belle, d'une beauté qui vient de l'intérieur, qui donne à vos yeux leur éclat si doux, à votre sourire, cette incomparable tendresse.

Durant le trajet du retour, ils laissèrent planer entre eux un silence heureux. Nick gara la voiture derrière la maison, et, notant la lumière allumée dans la cuisine, il s'étonna :

— Mme Pepper n'est donc pas encore partie ? A

moins que ce ne soit tante Elaine ? Le médecin lui a pourtant interdit de se lever.

C'était elle, en effet, en robe de chambre, avec un agneau sur ses genoux.

— On me l'a apporté. Sa mère est morte. Il faut beaucoup de temps pour le nourrir au biberon. Je ne pouvais pas refuser, n'est-ce pas ?

— Non, bien sûr, accorda Nick sur un ton un peu sec afin de masquer son amusement. Dorénavant, je me demande si je ne devrais pas baptiser cette maison « Le Refuge des Animaux » au lieu de l'Ermitage !

Surprise par ces propos, Mme Butler leva la tête et elle découvrit les deux jeunes gens qui se tenaient devant elle, main dans la main. Une question apparut aussitôt dans son regard, ainsi qu'un fol espoir.

Dès que Nick lui sourit, elle déposa doucement l'agneau dans le carton qu'elle lui avait préparé et s'approcha d'eux.

— Oh, mes enfants ! Nick... Jane... Mon vœu le plus cher serait-il exaucé ?

Nick l'embrassa, puis feignit de la considérer d'un air sévère.

— Former des vœux est une chose, mais intervenir directement en est une autre. Et vous êtes intervenue, ne le niez pas !

— Aide-toi et le ciel t'aidera ! répliqua-t-elle, citant le proverbe avec une petite moue de fierté et de satisfaction.

— Vous êtes une femme redoutable ! s'écria gentiment Nick.

La vieille dame les serra l'un après l'autre dans ses bras, puis tout à coup, elle lança :

— Et que devient Sylvia dans cette affaire ?

— En épousant Rodney Ashton, elle nous a tous tirés d'un fort mauvais pas.

— Comment ? s'écria Mme Butler avec indignation.

— Voyons, tante Elaine, c'était à elle de rompre nos

fiançailles. Je ne voulais pas lui en infliger cette humiliation.

— Quelle galanterie démodée ! lança la vieille dame. Et si elle ne les avait pas rompues ?

Pendant qu'ils s'expliquaient, prenant plaisir à se taquiner, à opposer leurs arguments, à mesurer toute l'ampleur de leur complicité, Jane promenait un regard ravi autour d'elle. Le cœur en fête, elle admira les fleurs devant la fenêtre, la porcelaine aux coloris gais, les trois chiens couchés à leurs places respectives, puis son regard tomba sur Nick, cet homme merveilleux, chaleureux, généreux. Un jour, alors qu'elle ne le connaissait pas encore, elle l'avait jugé arrogant et dominateur. Etait-ce possible ?

NOTRE AUTEUR

CHARLOTTE LAMB vivait tranquillement avec son mari et ses cinq enfants dans l'île de Man, s'occupant de la maison et, de temps en temps, écrivant des poèmes. Jusqu'en 1970...

Puis elle se mit à écrire des romans. Son premier titre fut publié chez Harlequin en 1973 et depuis elle a écrit plus de 70 romans. Elle figure parmi les trois auteurs les plus populaires chez Harlequin. La vente des ses livres dépasse en tout 70 millions !

Charlotte Lamb est également auteur du récent "best-seller" *A Violation,* qui touche au plus profond du cœur des femmes.